ITACHI SHINDEN【光明篇】

イタチ真伝 光明篇

ITACHI SHINDEN

岸本斉史
矢野隆

NARUTO -ナルト-

目次

この作品はフィクションです。
実在の人物・団体・事件などにはいっさい関係ありません。

人物紹介
志《し》村《むら》ダンゾウ
暗部〝根《ね》〟の頭
うちはイタチ
木ノ葉隠れの里の忍
猿《さる》飛《とび》ヒルゼン
三代目火影
火
うちはフガク
イタチ・サスケの父
木ノ葉警務部隊隊長
うちはミコト
イタチ・サスケの母
うちはサスケ
イタチの弟
うちはシスイ
木ノ葉隠れの里の忍
木ノ葉警務部隊
うちはヤシロ
うちはイナビ
うちはテッカ
忍

——愚かなる弟よ……。

このオレを殺したくば恨め！　憎め！

そしてみにくく生きのびるがいい……。

逃げて……逃げて……

生にしがみつくがいい。

第壱章

暗夜に在りし雛、未だ巣立たず

一

うちはイタチは、己《おのれ》が何者であるかを自覚した瞬間をはっきりと覚えている。


その日は雨が降っていた。

まともに目を開けられないほどの激しい雨が、四歳になったばかりのイタチの小さな身体《からだ》を容赦《ようしや》なく打ちつづけている。

隣に立つ父は、労《いたわ》る言葉などかけようともしない。

イタチもそんなことを望んではいなかった。

「覚えておけ、これが戦場だ」

轟々《ごうごう》と鳴る雨音を掻《か》き分《わ》け、父の強い言葉がイタチの心を打った。

戦場……。

四歳の子が記憶に留《とど》めるような言葉ではない。

ましてや、いまイタチの目の前に広がっている光景は、およそ子供が正視してよいような類《たぐい》のものではなかった。

屍《しかばね》、屍、屍……。

見渡す限りの死体の山である。

穏《おだ》やかな表情などひとつもない。すべての骸《むくろ》が、苦痛にゆがんだ表情のまま固まっていた。

「お前もあと数年で忍《しのび》になる。戦争が終わっても、忍の現実が変わるわけではない。お前が足を踏み入れる世界はこういう世界だ」

非情な父の声を耳にしながら、イタチはじっと耐えていた。

気を抜いたら涙が溢《あふ》れてしまう。

怖《こわ》い訳《わけ》ではない。

悲しい訳でもない。

ひと言《こと》では言い表せない感情が渦巻《うずま》いて、なぜだか解《わか》らないが胸が締《し》めつけられてたまらなかった。

雨でびしょ濡《ぬ》れ。

泣いても父には悟《さと》られないだろう。

それでも泣きたくなかった。ここで泣けば、忍として生きるうえでなにか大事なものを失ってしまうのではないかと思ったのである。

だから必死に堪《こら》えた。

なのに……。

自然と涙が溢れだす。

木《こ》ノ葉《は》の額当《ひたいあ》てをしている者。

他国の忍らしき者。

地面を覆《おお》う夥《おびただ》しい死体には国境など関係なかった。誰もが苦しみ、悲しみ、もがきながらそれぞれの死にはあらがいきれなかった。苦悶《くもん》に満ちた表情は、どの国の忍であろうと一緒だ。

死にたいと思って死んだ者など一人もいなかった。

それでもみんな死んだ。

なぜ?

戦争のせいだ。

「父さん」

イタチは自分の声を聞いた。そして初めて、己が震えていることに気づいた。

雨が冷たいからではない。

骸を恐れた訳でもない。

怒《いか》りがイタチを震わせる。

「どうしてこんなところに……」

幼い我が子の問いに父はしばらく黙った後、言葉を選ぶようにして答えはじめた。

「お前は聡《さと》い子だ」

骸に目をむけたまま、イタチは父の言葉を待つ。

頭の上に温《ぬく》もりが触れた。

父の掌《てのひら》。

「だから、この現実を見せておきたかった」

現実という言葉の意味をイタチは心のなかで必死に探す。まだ四歳。現実と虚構の違いなど判《わか》る訳もない。

それでも父が言わんとすることの意味は解《わか》った。

「これがオレの生きる世界……」

「そうだイタチ。忍とは戦う生き物だ。今日、見た光景を決して忘れるなよ」

父の声に誘《いざな》われるようにして、イタチは目を凝《こ》らした。目の前に広がる地獄絵図を、決して忘れないように瞳《ひとみ》の奥に焼きつける。

眼球の奥に鈍痛《どんつう》を感じた。

涙とは違う生温《なまぬる》いものが目玉の奥で蠢《うごめ》いている。荒々しい力の波が、瞳にむかって流れこんでくるような感覚が、たまらなく恐ろしくて思わず瞼《まぶた》を閉じた。すると、力の波はゆっくりと静かに、頭の芯《しん》へと消えてゆく。

動悸《どうき》が激しく、息が荒い。深呼吸をし、目を開く。目の前には依然《いぜん》として地獄のような世界が広がっていた。

胸に、そっと手を触れる。

あのまま力に身を任《まか》せていたら、自分が自分でなくなってしまうようだった。

「どうした？」

父の問いに答えずに、ただじっと眼前の光景を眺めている。

たとえこの地獄が自分の生きる世界だとしても、それをただ黙って受け入れるつもりはなかった。

オレが変える……。

どんな理由があろうとも、争いで物事を解決しようとするのは間違っている。そんな世のなかならば変えなければならない。

それが、うちはイタチという男の根幹となった。

イタチはこの日の光景を終生忘れることはなかった。

＊

大陸全土の忍を巻きこんだ大戦が終息したのは、イタチが自分という存在の意味を自覚した日から数週間後のことであった。のちに第三次忍界《にんかい》大戦と呼ばれることになるこの戦争は、主戦国であった木ノ葉隠れの里と岩隠《いわがく》れの里の停戦条約の締結《ていけつ》によって終息したのである。

戦況を優勢に運んでいたのは木ノ葉のほうであったが、三代目火影《ほかげ》であるヒルゼンによる融和《ゆうわ》政策によって、岩隠れには一切《いっさい》の賠償《ばいしょう》を請求しないという破格な条件によって終戦は果たされた。この弱腰に見えるヒルゼンの決断に、主戦派の者たちが反発。里の不満を抑《おさ》えるため、ヒルゼンは三代目火影を退《しりぞ》くことに決めた。その結果、新《あら》たな火影が選出されることになり、大戦の英雄と呼ばれた波風《なみかぜ》ミナトが四代目の地位についたのである。

ヒルゼンの火影退任によって、里は大戦の混乱から少しずつ立ち直ろうとしていた。

イタチには明確な目的があった。

〝誰よりも優秀な忍になって、この世から一切の争いをなくす〟

大人《おとな》ならば一笑に付してしまいそうな大袈裟《おおげさ》な夢である。が、四歳のイタチにとって、この夢はなににも代《か》え難《がた》い大切なものだった。

忍者学校《アカデミー》で基本的な忍術を勉強し、試験を受けて初めて正式な忍として認められる。まだ四歳のイタチには、忍者学校《アカデミー》に通う資格すら与えられていない。

一刻も早く忍になりたかった。

だから一人で修業をしている。

「ただいま」

玄関で静かに靴を脱ぎ、イタチはゆるやかに廊下を歩く。

「お帰りなさい」

台所の前を通り過ぎる時、母のミコトが声をかけてきた。いま母のお腹《なか》のなかには新たな命が宿っている。

弟になるか妹になるか……。

とにかくイタチの初めての兄弟だった。

「今日も一人で修業してたの？」

「あぁ」

四歳とは思えぬ大人びた息子《むすこ》の返事に、重いお腹を抱《かか》えるようにして振り返ったミコトが肩をすくめる。

「父さんは部屋にいる？」

「いるけど、いまはちょっと……」

母の言葉を聞きながら、イタチは父の居室《きょしつ》に足をむける。今日の修業でクナイの握り方に疑問が生じたから、すぐにでも質問したかった。

「どうして四代目があのミナトなんですか！」

閉じた障子《しょうじ》のむこうから聞こえた激しい声が、イタチの足を止めた。

「誰が聞いているか判らんのだぞ、もう少し声を潜《ひそ》めろヤシロ」

穏やかな声は、父のものだった。

「しかし納得がいきません。四代目選出にあたって、名前が挙《あ》がったのはミナトの他には大蛇丸《オロチまる》様だけだったというではありませんか。どうしてフガク様の名を誰一人として挙げなかったのです？」

ヤシロと呼ばれた男の声が父に問うた。イタチは頭のなかで、ヤシロという男の顔を思い浮かべている。白髪を短く刈《か》りこんだ細目の男。父より歳上《としうえ》でありながら部下として仕《つか》える男だ。

「ヤシロさんの言う通りです。私も納得がいきません」

「イナビ……」

父が新たな声の主《ぬし》の名を呼んだ。うちはイナビといえば木ノ葉警務部隊屈指《くっし》の忍である。

長い黒髪が特徴的な男だ。彼も父の部下である。

「大戦中〝兇眼《きょうがん》フガク〟といえば、他国の忍は震えあがったものです」

「木ノ葉警務部隊の隊長。それが里におけるオレの名だ」

「それが首脳部の策謀《さくぼう》だと言っているのです」

ヤシロがふたたび大声で叫び、一気にまくしたてる。

「うちは一族を表舞台に立たせたくない首脳部は、フガク様の大戦での活躍を里に公表しなかった。そのせいで、ミナトや三忍《さんにん》、果ては一族の人間でないくせに写輪眼《しゃりんがん》を持つはたけカカシまでが目立つ結果となった。ミナトやカカシが騒がれるのなら、フガク様の名も同様に……」

「もうやめろ」

律《りっ》するようなフガクの声に、ヤシロが口籠《くちごも》った。

「息子が聞いている」

イタチの身体がその場で小さく撥《は》ねた。

「なんだイタチ？」

気取《けど》られていた……。

未熟。

イタチは歯噛《はが》みする。

仕方なくゆるりと障子を開いた。

なかには四人。

父フガクと、ヤシロにイナビ。そしてもう一人、額《ひたい》に小さな点がある男がいた。この男も父の部下で、名前はうちはテッカといった。

「なんの用だ？」

「手裏《しゅり》剣《けん》術について聞きたいことがあるんだ」

「いまは忙しいから後にしろ」

「わかった」

言うと同時に、速《すみ》やかに障子を閉じる。

閉じきる瞬間、四人の眼に紅《くれない》の光が宿った。

写輪眼。

うちは一族に受《う》け継《つ》がれる血継限界《けっけいげんかい》だ。

自室に戻りながら、イタチは父の部屋に充満していた空気を思いだす。するとなぜだか、脳裏《のうり》に父とともに見た戦場が蘇《よみがえ》ってきた。

悪意と邪気《じゃき》に満ち満ちた地獄絵図……。

父の部屋でみながまとっていた気配は、戦場で感じた禍々《まがまが》しい雰囲気と同様のものであった。

「父さんはなにを考えているんだ……」

呟《つぶや》いた声に答える者は誰もいなかった。

二

五歳。

自分の誕生日など、イタチにとってはどうでもよかった。一年ごとの節目《ふしめ》は、あくまで節目でしかない。茫洋《ぼうよう》に過ごした一年も、濃密に生きた一年も、一年は一年だ。歳《とし》をひとつ取ったからといって、なにが変わる訳《わけ》でもない。

重要なのは日々の鍛練《たんれん》。

一歩一歩着実に進歩してゆくことが重要なのだ。

そんなイタチであったが、この年自分の身に訪れた大きな変化には、さすがに心を動かした。

その原因が、いま目の前にいる。

「どう？」

床《とこ》に寝たまま語るミコトの声に答えずに、正座した自分の膝《ひざ》の前に寝転がっている物体を眺めていた。

生まれたての小さな赤ん坊は、まだ見えない眼を虚空《こくう》に彷徨《さまよ》わせながら、自分の置かれた状況を一生懸命、理解しようとしているようだった。

そっと頰《ほお》に触れる。

いきなりの刺激に、赤ん坊がびくりと震えた。その反応に驚いて手を離すと、母がくすりと笑ってイタチを見つめる。

「サスケよ」

この子の名前。

自分の弟。

うちはサスケ……。

イタチはもう一度、赤らんだ頬にそっと触れた。

「サスケ……」

初めて弟の名を呼んだ瞬間、心の奥に温かいものがぽっと灯《とも》った。父や母に感じる愛情とはまた違う、なんとも言いようのない特別な想《おも》いである。五歳のイタチには果たしてそれがどういう感情なのか、うまく言い表すことができない。が、触れれば壊れそうなほどに儚《はかな》い存在を前にして、自分が守ってやらなければという男としての責任感のようなものが芽生《めば》えたのは確かだった。

「弟のこと、よろしくね」

そう言った母に、イタチはサスケの頬に触れたまま力強くうなずいた。

*

父に戦場へ連れていかれてから、一日たりとも休まずに修練を続けている。

待望の忍者学校《アカデミー》入学まであと一年。少しでも技術を磨《みが》き、優秀な忍《しのび》になることだけがイタチの目標であった。

なぜ、優秀な忍になるのか？

もちろん、争いをこの世からなくすためだ。

殺し合いのなかで生きるのが忍だという父の言葉が、イタチにはどうしても納得できない。

忍術やチャクラは、本当に争いのためだけにあるのか。

違うとイタチは断言できる。

秀《ひい》でた力があれば、争いを続ける者の間に入って止めることができるはず。争っている者たちよりも優秀な忍なら、どんな忍であろうと太刀打《たちう》ちできない相手であるならば、誰もが素直《すなお》に耳を貸し、従うはずだ。

イタチはそんな忍になりたかった。

誰よりも力を持ち、誰よりも有能であれば、先の大戦のような巨大な争いだろうと止められると信じている。

目標がある。だから精進《しょうじん》することは、苦痛ではなかった。

家のすぐそばにある小さな森が、イタチの修練の場所だ。

林立する杉のいたるところに木製の的《まと》が掲《かか》げられている。人の頭ほどの大きさで、黒い丸がふたつ描かれている。

閑散《かんさん》とした森に、イタチは一人たたずむ。その指の股《また》にクナイが一本ずつ挟《はさ》まれている。左右合わせて八本のクナイが、イタチの武器だ。

「ふぅ……」

目を瞑《つむ》り、腹の底からゆっくりと息を吐きだす。

しゃがむと同時に、思いっきり地面を蹴《け》った。

宙に舞った身体《からだ》が上下逆さまになる。

胸に抱くような形に留《とど》めていた両腕を、素早《すばや》く左右に伸ばす。

八つの閃光《せんこう》が八方に散る。

カツカツカツと軽妙な音が、着地したイタチの周囲で鳴った。

杉の木に掲げられたすべての的の真ん中を、鋭い刃が貫《つらぬ》いていた。

「見事だな」

とつぜん背後から聞こえてきた声に、イタチは息を呑《の》んで振り返った。

黒髪の少年が立っている。

明らかにイタチよりも歳上だ。その証拠に、少年の額《ひたい》で木ノ葉の額当《ひたいあ》てが銀色に輝いている。

「お前、歳はいくつだ?」

少年が問うてくる。

名前は知らないが、イタチはこの少年のことを見知っていた。

同じ、うちは一族の忍だ。

「五歳」

「その歳で、これだけのクナイさばきを見せるなんて、大したヤツだな」

言いながら少年が手を差しだした。

「うちはシスイだ」

「オレは……」

「知ってるよ。警務部隊隊長のフガクさんとこのイタチだろ」

気さくな態度で語りかけてくるシスイに、イタチは戸《と》惑《まど》う。恐らくそんな気持ちが顔に出ていたのだろう、シスイは肩をすくめて目を大きく見開いた。

「あまり人と喋《しゃべ》りたがらない不思議な子だということは聞いていたが、本当に頑《かたく》なようだな」

「用がないのなら……」

「まぁ、そう言うなよ」

笑ったシスイの姿が消えた。

イタチの眼は気配を追っている。

空だ。

さっきのイタチと同じように宙を舞ったシスイの両腕が、左右に大きく伸びた。

八つの閃光が駆ける。

「っ！」

イタチは目を見張った。

「どうだ？」

着地したシスイがにっこりと笑った。

「オレのクナイさばきもなかなかのものだろ？」

先に刺《さ》さっていたイタチのクナイのすぐ横に、新《あら》たなクナイが刺さっている。当然、シスイが投げたものだ。

「ここで毎日修業してるのを、かなり前から見てたんだ」

ゆっくりと近づいてくるシスイが、ふたたび手を差しだした。

「オレと友達になってくれよ」

自然に引きこまれてしまうなんとも心地のよい口調であった。誘われるようにイタチは右手を掲げた。

掌《てのひら》を温《ぬく》もりが包む。

「よろしくなイタチ」

満面の笑《え》みを浮かべるシスイを見ながら、この妙に馴《な》れ馴《な》れしい忍を受け入れている自分に戸惑っていた。

＊

月を見ていた。

サスケと二人……。

父と母は外出している。

障子《しょうじ》を開け放ち、サスケを抱いて縁側《えんがわ》に座っていた。

眩《まぶ》しいほどの月明かり。

周囲の星々の光を掻《か》き消《け》すように燦然《さんぜん》と輝く満月は、いまにも空から零《こぼ》れて落ちそうだった。

そよ風がイタチの頬《ほお》を優しく撫《な》でてゆく。

「ん？」

風のなかに混じる微《かす》かな臭気《しゅうき》に眉《まゆ》をしかめる。そんな兄の変化を察したのか、それとも赤子《あかご》の鋭敏な感性が変異を捉《とら》えたのか、腕のなかでサスケがむずかりはじめた。

空の月を見つめる。

「なんだ？　この感じ……」

サスケが声をあげて泣きはじめる。

「よしよし」

弟を揺すってあやしながらも、目は月へと注《そそ》がれている。

獣臭《けものくさ》い風が、ふたたび吹いた。

「嫌《いや》な感じだ。こんな時に限って父さんと母さんが出かけてるなんて……」

サスケがいっそう激しく泣いた。さすがに月を見ている場合ではなく、イタチは微笑《ほほえ》みを浮かべながら可愛《かわい》い弟に視線を落とす。

「泣くなサスケ、なにがあってもお兄ちゃんが絶対守ってあげるからな」

イタチの言葉を聞いたサスケの泣き声が、怖《こわ》くて泣いているようなそれまでの泣き声から、甘えるようなものに変わった。勢いにはそれほど変化のない微妙な差異である。兄弟であるからこそ解《わか》る、サスケの心境の変化であった。

なにかが迫《せま》っている……。

サスケを抱く腕に力が籠《こも》るのを、イタチはどうしようもなかった。

＊

突然の事態に里は混乱するばかりだった。

遥《はる》かむこうであがった土煙を、うちはフガクは厳しい表情で眺めている。

木ノ葉警務部隊の屋上。周囲にはうちは一族の精鋭で構成された側近《そっきん》たちが控《ひか》えていた。

「あ、あれは……」

左に控える白髪のヤシロが呟《つぶや》いた。その原因を、すでにフガクも視界に収めている。

「きゅ、九尾《きゅうび》……」

呟いたのは右隣に立つイナビだ。長く伸ばした黒髪を搔《か》きあげながら、イナビは恐怖に震える身体《からだ》を静めようと必死だった。恐れを露《あら》わにする部下たちを尻目《しりめ》に、フガクは毅然《きぜん》とした態度で目の前の現実を見極《みきわ》めている。

「間違いない、九尾だ」

里の中心部にあがった土煙のなかから大蛇《だいじゃ》のようにのたうつ尻尾《しっぽ》が九つ這《は》いだしている。尻尾が集《つど》うその先には、橙色《だいだいいろ》をした獣《けもの》の姿があった。天空に浮かぶ満月を喰《く》らわんと咆哮《ほうこう》するのは、禍々《まがまが》しい狐《きつね》である。

この世に災厄《さいやく》を齎《もたら》すという伝説の獣だ。

「すぐに部隊を現地に派遣《はけん》する。オレも行くぞ」

「フガク様みずから赴《おもむ》かれるのですか？」

恐れを露わにしたヤシロが問うてくる。

「当たり前だ！」

怒鳴《どな》りつけながらも、視線は九尾にむけたままだ。

怒号《どごう》と悲鳴がいたるところから聞こえてくる。里のどこにいようと、あの姿は見えているだろう。いま現在被害を受けていない場所でも、九尾の姿を目の当《まあ》たりにすれば混乱はまぬがれない。

「これは里創設以来最大の災厄となるかもしれん。そんな時に警務部隊隊長のオレが指をくわえて見ていられるか」

「しかし……」

九尾に近づくということは、命が危険に晒《さら》されるということだ。いち早く現場に赴いた忍たちには、すでに犠牲《ぎせい》が出ていることだろう。ヤシロが恐れるのも無理はない。

「オレはこれまで一度として命を惜《お》しむような仕事はしていない」

「隊長……」

細いヤシロの眼に涙がにじむ。

「九尾を操《あやつ》ることができるのは、うちは一族の持つ写輪眼《しゃりんがん》のみだ。我らが駆けつけなければ止めることは不可能だ」

「隊長！」

階段を駆け昇るようにして側近のテッカが現れた。

有能な部下の鬼気迫る様子に、フガクはただならぬ事態を予測した。

「どうした」

「いま上層部からの指示がありまして、我ら警務部隊は里の警護を固めるようにとのことです」

「なんだと？」

我が耳を疑うというようにフガクがテッカを睨《にら》む。上司の怒《いか》りを機敏に悟《さと》った部下は、みずからの推測を口に乗せる。

「九尾を操ることができるのは写輪眼のみ。上層部は恐らくそれを危惧《きぐ》しているのかと……」

「この騒ぎが我らのせいだと言うのか！」

ヤシロが叫んだ。

気持ちは痛いほど解る。

うちは一族は木ノ葉隠れの里の一員だ。九尾のような獣を解《と》き放《はな》って騒ぎを起こす訳がない。もし九尾を操る者が自分の暮らす場所だけは避けさせたとすれば、すぐに疑われてしまうではないか。そんな愚かな真似《まね》をするような者は、一族には絶対にいない。

実際に、いま目の前で暴れまわっている獣は、見境《みさかい》なく里を荒らしまくっている。それは我が身に災厄を呼びこむのも同然の行いである。

少なくとも、現在木ノ葉隠れの里に暮らすうちは一族の仕業《しわざ》ではない……。

「了解したと伝えろ」

苦《にが》いものを吐きだすようにしてテッカに言った。

「隊長！」

詰《つ》め寄《よ》るヤシロに無言のままうなずくと、フガクは階下に続く階段へと足をむける。

家に残してきたイタチやサスケのことが気になったが、いまは与えられた任務を全《まっと》うすることが先だった。

＊

「イタチ！」

「母さん」

サスケを抱いて家の前の路地に立つイタチを、ミコトが力強く抱きしめた。

「無事でよかった……」

「二人で逃げた後に母さんが家に戻ってきて心配するといけないと思ったから、待っていたんだ」

「うん、うん……」

涙をボロボロと流しながら母がうなずく。

弟を守らなければと緊張で引《ひ》き締《し》まっていた目つきが、いくぶん緩《ゆる》んだ。が、それも束《つか》の間《ま》、母の背後に迫るものを認めると、すぐに元の険《けわ》しさを取り戻した。

「母さんっ」

投げだすようにサスケを母に渡す。

飛んだ。

遥かむこうに見える九尾が放《ほう》った岩石が家の近くで砕け、一部が宙を舞っている。そのひとつが、母の背にむかって落ちてきていた。

サスケを抱く母を眼下に見た。いきなり飛翔《ひしょう》したイタチを、なにが起こったのかという驚きの目で追っている。

母子三人など軽く押《お》し潰《つぶ》せるほどの巨岩。

「オレが守る……」

呟いていた。

拳《こぶし》を硬く握る。

忍の体術は筋力ではない。身体ができていない五歳の幼子《おさなご》であろうと、チャクラの操作さえ確実にできれば、巨岩だって砕くことができる。

拳を高々と突きあげた。

チャクラが腕に漲《みなぎ》り、淡《あわ》い蒼色《あおいろ》の焔《ほのお》をまとわせる。

イタチの拳に激突した岩が、甲高《かんだか》い音を立てて砕けた。

幼子でも忍の修練さえ続けていれば、岩を砕くことなど造作《ぞうさ》もない。

小石の雨を浴びながら、音も立てずに着地した。

「大丈夫?」

振り返って二人に声をかける。驚きを隠せないといったように、母が瞼《まぶた》を目一杯に開いてイタチを見ていた。母は上忍《じょうにん》である。だからこそ余計にイタチの瞬時の身のこなしに驚嘆していた。

「ここは危ない。さぁ皆が集まっている場所に行こう」

「ええ……」

声に背を押されるようにして立ちあがる母に駆け寄り、イタチは手を取った。

「まだ忍者学校《アカデミー》に入ってもいないのに、もうあんなことができるなんて……。やっぱりアナタはお父さんの子ね」

褒《ほ》められているのだろうが、いまはそれどころではない。とにかく母と弟を安全な場所へと届けなければならないという使命感で頭は一杯だった。

周囲から聞こえてくるのは女子供の悲鳴と男たちの怒号《どごう》。そこに瓦礫《がれき》が立てる轟音《ごうおん》が混じって、凄《すさ》まじい有様《ありさま》だった。

血を流しながら逃げまどう人々。

腕をなくしながらも同僚の忍を怒鳴っている男。

崩《くず》れた瓦礫の山を呆然《ぼうぜん》と見つめる、糸の切れた人形のようになった若い女。

冷たくなった母親を揺り起こそうとしながら大声で泣きつづける子供。

頭の芯《しん》のあたりで、キンキンと耳障《みみざわ》りな音が鳴っているのをイタチは聞いた。

疲れるほどの距離を走った訳《わけ》でもないのに、息苦しくなってくる。

目の前の光景が四歳の時に見た戦場と重《かさ》なってゆく。

争い……。

目の奥に鈍痛《どんつう》が走る。あの時と同じように、力の波が眼球の後ろのほうで脈打っていた。

視界が一瞬、紅《くれない》に染まったような気がしたが、すぐに治《おさ》まる。

「イタチ？」

息子《むすこ》の変異に気づいた母が、後ろから声をかけた。

「大丈夫だよ、母さん」

必死に走る。

九尾という強大な暴力から逃げるようにして走る。

争いを止めるための強さが欲しいと、心の底から思った。

強い忍になりたかった。

*

火影屋敷内にある会議室に四人の影が並んでいる。

三代目火影《ほかげ》、猿飛《さるとび》ヒルゼン。

暗部《あんぶ》の志村《しむら》ダンゾウ。

そして御意見番《ごいけんばん》のホムラとコハルだ。

突然の変事が終息し、疲れで顔の皺《しわ》がいくぶん深くなったヒルゼンが、三人の同志を眺めながら口を開いた。

「四代目とその妻クシナが命をかけて九尾を封印してくれた。その結果、なんとか里は守られた」

仏頂面《ぶっちょうづら》で聞いていたダンゾウが、言葉を継《つ》ぐ。

「しかし里は大戦中でも経験したことのないほどの壊滅《かいめつ》的な打撃を受けた」

「早急に復旧作業を行わねば、この機に他里が攻めてくるかもしれん」

言ったのは御意見番のホムラである。

小さくうなずいたヒルゼンは、重々しい口調で会話を繋《つな》ぐ。

「その件はすぐに手配しようと思っている」

「ついてはどうしても叶《かな》えてもらいたい案件がある」

包帯で顔の右半分を覆《おお》っているダンゾウの露わになった左目が、冷酷な輝きを放つ。ヒルゼンは無言のまま、その氷のような視線を受け止め、催促《さいそく》の意をみずからの瞳《ひとみ》に籠《こ》めた。

察したダンゾウが続ける。

「うちは一族の居住地を里の外縁部に集めてもらいたい」

「なんじゃと？」

眉間《みけん》に皺を寄せてヒルゼンが睨《にら》んだ。

しかしダンゾウは動じることなく淡々と続ける。

「九尾を操ることができるのは、うちは一族の持つ写輪眼のみだということは、知っているはずだ」

「九尾を呼び寄せたのは、うちはの者だというのか？」

「そうだ」

断言するダンゾウに、ヒルゼンが息を呑む。激しい問答を、御意見番の二人は口をつぐんだまま見守っている。

「大戦中のうちはに対する処遇《しょぐう》、そして四代目決定に際してのフガクの黙殺。近年、うちは一族の里への不満は高まっている」

「ワシはそうは思わん」

「うちはの動静は根《ね》の者が丹念に調べている。うちはが不満を持っているのは事実だ」

「それは積年の因縁《いんねん》が……」

「それだけではない」

強気のダンゾウに、ヒルゼンが押されている。

「兇眼《きょうがん》フガクという稀代《きだい》の天才でさえも警務部隊の隊長に甘んじなければならぬという絶望が、大戦を経験した者たちに芽生えている。里への失望は、いつか大きな不満となって木ノ葉を襲うぞ」

「だからといって九尾の一件がうちはのせいだと断ずるのは、すこし性急すぎるのではないか」

「確証がないからといって野放しでよいという類《たぐい》の話ではないのだぞヒルゼン。よいか？　九尾を操ることができるのは、うちはの写輪眼のみ。それが事実だ」

ヒルゼンが口籠《くちごも》る。

「とにかく、うちは一族は一か所に集めて里の端《はし》に追いやるのだ。九尾襲来による区画整理という大義名分《たいぎめいぶん》があるいまのうちにやっておくべきだ」

暗部の闇《やみ》を体現する男の鬼気迫る態度に、三人は黙るしかなかった。

*

イタチは新たな住まいに満足していた。

里の中心部からはかなり遠ざかったが、一族由来の南賀《なか》ノ神社は集落のなかにあるし、なにより里の端のほうにあるから自然が多い。修業をする場にも困らないし、少し足を伸ばせば里の境を越えることができて、そのむこうには険《けわ》しい山野が広がっている。幼い弟を育てるには静かでよいところだとも思った。

しかし……。

大人《おとな》たちは違うようだった。

一族が里の方々《ほうぼう》より集められて新たな集落が築かれると決まってから、父のところに若い忍たちがずいぶん通ってきた。

差別。

迫害。

濡《ぬ》れ衣《ぎぬ》。

後ろむきな言葉ばかりが父の部屋から聞こえた。

大人たちがこの移住を快《こころよ》く思っていない理由も、イタチはちゃんと解《わか》っている。

九尾襲来の犯人が一族の者ではないかという疑いをかけられ、その結果、里の端に集められたのだ。

ひと言《こと》の釈明も許されずに……。

父たちが憤《いきどお》るのも無理はないとイタチも思う。だが一度決まったことは、仕方がないではないか。せっかく一族が集まったのだから、この集落の環境をよりよいものにしていこうと考えたほうが健全であろう。

九尾によって破壊された里はボロボロだった。

なにも、うちは一族だけが苦しい思いをしているのではない。

大切な人に先立たれた者も大勢いる。住処《すみか》を失って途方に暮れている人もいるのだ。災害によって家を失った人々よりも早く集落をあてがわれたうちは一族は、運がよいとは思えないのだろうか。

不満ばかりの大人たちに、イタチは失望を禁じ得なかった。

「では行ってくる」

椅子《いす》に座るイタチの背後で父の声がした。

母とサスケと三人で夕飯を食べている。とうぜん弟はまだしっかりと物を食べることができない。すわったばかりの首をゆらゆらさせながら、乳幼児用の椅子に座らされていた。くりくりとした大きな瞳を兄のほうにむけ、イタチが茶碗《ちゃわん》からご飯を口に運ぶのを不思議そうに眺めている。

この人はあの長い棒で白いものを口に入れているが、いったいなにをしているんだろうか？

そんな一人前のことを考えているのではないかと疑いたくなるほどに、弟の眼には力がある。まだ一歳にも満たないというのに、思考と意志をはっきりと感じさせる強い瞳だった。

「ご飯はどうします？」

イタチの背後を見ながら母が聞く。誘われるようにして振りむくと、わずかに開いた障子の間から父の険しい顔が覗《のぞ》いていた。

「外で済《す》ませてくる。帰りは遅くなるから、先に寝ていていい」

「わかりました。行ってらっしゃい」

「行ってらっしゃい」

母に続けて言うと、弟と違い一向に意志の読み取れない冷淡な父の眼差《まなざ》しが、イタチを射《い》た。

「来年は忍者学校《アカデミー》だ。しっかりと修練を積んでおくんだぞ」

「解った」

「あうぁぁあぁ……」

イタチの真似をするようにして、サスケが言葉にならない声をあげた。父は一度、弟のほうを見て小さくうなずくと、障子のむこうに消えた。

三人の食事が再開された。

＊

「いったい大人たちは夜遅くまで、なにをやっているんだ……」

イタチは素朴《そぼく》な疑問を友に投げた。

唯一《ゆいいつ》の友達であるシスイは、口の端に緩やかな笑みを湛《たた》えながら、遥か彼方《かなた》にある火影岩を眺めている。

里の外《はず》れの崖《がけ》に二人して座っていた。

この場所は二人しか知らない。

切り立った崖の下には川がある。蛇行《だこう》するようにして火影岩の背後から里の外へと流れる川だ。イタチとシスイが座る崖のあたりまで来ると、水流も深さもかなりのものとなる。

「オレは下忍《げにん》だ」

シスイが遠い目をしたまま語る。

黙ったまま聞いているイタチに顔をむけると、シスイは穏《おだ》やかな口調で続けた。

「だから大人たちの会合に出ている」

「え？」

「南賀ノ神社で定期的に開かれている」

いったいなんの話をしているのかと問いたかったが、恐ろしい気がして言葉にならなかった。

イタチの沈黙に、シスイが目を伏《ふ》せる。

「お前はまだ知らなくていいことだ」

言ったシスイが目を逸《そ》らすのを、イタチは不安な気持ちのまま眺めていた。

一族に重たい空気が流れている……。

ただの憶測であってくれとイタチは心のなかで何度も呟いた。

三

六歳。

ついにイタチは忍者学校《アカデミー》に入学を果たす。

別に学校に入学できたことが嬉《うれ》しい訳《わけ》ではない。自分が忍《しのび》に近づいているという具体的な実感が、学校という場所にはあったのだ。それまで一人、もしくはシスイとともに密《ひそ》かに修練を積んできたのとは訳が違う。

学校での日々は、忍への道。

それがイタチにはたまらなく嬉しかった。

「では自己紹介をかねて、みなさんの夢を聞かせてください」

年老《としお》いた男の先生は、そう言って生徒たちを見渡した。

初めての授業。

ほのかに緊張している生徒たちは、たがいの顔を見遣《みや》りながら戸惑《とまど》っている。

ねぇねぇどうする、などとまだ相手のことをよく知らない同士で語らい合っているのを、イタチは一人眺めていた。そして戸惑うのも無理はないなどと、他人事《ひとごと》のように思っている。

見ず知らずの人の前で、夢を語れと言われてすんなりと語れる訳がない。

「じゃあ、出席番号の順にお願いしよう」

生徒の気持ちを知ってか知らずか、先生は方々《ほうぼう》で聞こえる囁《ささや》き声《ごえ》を打ち消すような大声で言った。

うちはイタチ……。

頭文字は〝う〟だ。

出席番号ははじめのほうである。

なにを話そうかなどと迷うことはなかった。

物心ついた頃から、夢は変わっていない。

それを素直《すなお》に語ればいい。

「はいよくできました」

何人目かの同級生が拍手を受けている。夢は、お父さんのような立派な忍になりたい、であった。

父のような立派な忍になる……。

イタチはフガクを頭に描く。

父は立派だ。

が……。

警務部隊の隊長では、イタチの夢にはまだ足《た》りない気がした。父を否定する訳ではない。父のように優秀になれたらと思う。でも、イタチが辿《たど》り着《つ》きたいと思っている場所は遠く、現在の父は決してその場所に立てているとは言えない。

「じゃあ次は、うちはイタチ君」

先生がイタチの顔を見て笑った。

さっきから先生は、自己紹介をさせる者の名前を呼んでいる。先生が先に言ってしまっては意味がないではないかなどと考えながら、イタチは席を立って教壇の前に出た。

同じ歳《とし》の生徒たちが、イタチを見ている。興味の視線が集中し、額《ひたい》のあたりが少しむず痒《がゆ》かった。

眉間《みけん》の少し上のあたりを一度指で撫《な》でてから胸を張る。

「うちはイタチです。夢は……」

口籠《くちごも》ってしまった。

先生や生徒たちが、どうしたとばかりに首を傾《かし》げる。

夢がない訳ではなかった。もちろん語る夢を選んでいる訳でもない。緊張で口が利《き》けなくなったなどという理由でも当然なかった。

自分の夢が果たしてこの場で語るべきものなのかと思ったのだ。

これまで皆が語って聞かせた夢は、どれも慎《つつ》ましやかなものばかり。父のようになりたい。立派な忍になって沢山《たくさん》の任務をこなす。可愛《かわい》い忍になりたい……。

先生や仲間が求めているのは、こういう夢なのだ。

イタチの夢は違う。

「オレの夢は……」

「大丈夫だ、言ってごらん」

先生が背中を押す。

誰にどう思われてもいい。

「この世のすべての争いを消しさってしまえるほど、誰よりも優秀な忍になりたい」

教室の隅《すみ》で誰かの笑い声が聞こえた。そしてその後すぐに、予定調和の拍手が起こる。

「よくできました」

そう言って先生はイタチの頭を撫でた。

あまりにも荒唐無稽《こうとうむけい》すぎて、誰も信じてくれなかったようだ。叶《かな》うはずのない夢だと誰もが思っている。幼い子供が世間を知らぬが故《ゆえ》に吐いた妄想《もうそう》めいた夢。誰もがそう思ったからこそ笑われもしたし、無機質な拍手も起こった。

唯《ただ》一人、イタチだけが真剣だった。

そしてその真剣さを、先生や仲間たちはこの後すぐに知ることになる。

*

「おぉ……」

居並ぶ同級生たちが声を失っていた。少し離れたところでメモを取りながら見ていた先生も、あまりのことに次の生徒を促《うなが》すことすら忘れている。

校庭の各所に据《す》えられた二十個の人型《ひとがた》すべてに、どれだけ短い時間でクナイを当てることができるかという授業だった。

計測は一人ずつ行われる。

同級生たちは全力で校庭中を走りまわり、息を切らしながら五分あまりかかって済《す》ませていた。

人型の場所は知らされているが、学校で一番高い木の上だとか、校舎の三階の半開きの窓のむこうだとか、面倒臭《めんどうくさ》い場所にあった。だからみんな必死になって駆けまわっていた。

平均五分。

それをイタチは三十秒で済ませた。

しかも命中したクナイはすべて人型の頭部か胸に命中している。部位の差は露出している場所がいずれであったかの違いだけで、どちらも寸分《すんぶん》たがわぬ精度で命中していた。

人型の場所も判《わか》っていて、範囲も校庭から届く場所……。

ここまで限定されているうえに、イタチの前に数名計測を終わらせている。

傾向と対策は完璧《かんぺき》だった。

イタチは開始場所の校庭中央から、自分を起点にして脳内に縦横《たてよこ》の線を引いて範囲を四等分し、さらに人型が密集している場所を大まかに区別して、開始場所からの投擲《とうてき》で済ませることができるものと、移動が必要なものに振り分けた。

開始場所から投擲可能な人型が八。

移動が必要な人型が十二。

そこで今度は移動が必要な人型を分類し、効率的に回れる軌道を計算した。

先生の開始の合図と同時に、両手につかんだクナイを八個の人型に同時に放《はな》つ。

まだ二秒もかかっていない。

それから走りだして、脳内に描いたルートをトレースするようにして、校庭を速《すみ》やかに回った。

三十秒。

遅いくらいだとイタチは思った。

シスイならばもっと速い。

「よ、よくできました。さぁ、次の人」

額から汗を垂《た》らして先生が言う。

答えることなくイタチはざわめく生徒たちのほうへと戻った。

あまりにも凄《すさ》まじい動きだったため、誰も声をかけてこない。イタチを遠くから囲むようにして、ひそひそと囁き合っている。

そんな周囲の反応など気にもせず、イタチはさっき終わったばかりの計測結果を反芻《はんすう》した。視線の先では次の生徒が必死になって校庭を駆けずりまわっている。

あと五秒は削《けず》れた……。

走る軌道の修正箇所《かしょ》を見つけ、イタチは己《おのれ》の未熟を恥じた。

「うちはイタチ君」

先生が呼ぶのと同時にイタチは立ちあがって教壇のほうへと進んだ。

「はい、今回もよくできました」

手渡された紙の一番上に、百点という文字と大きな花丸が書いてある。

「今回のテスト、満点は君だけだ」

先生の言葉を聞いた仲間たちが、驚きの声をあげる。イタチは先生に小さく辞儀《じぎ》をすると、そのまま真《ま》っ直《す》ぐ自分の机に帰った。

入学から三か月。相変《あいか》わらず同級生たちとはこれといった会話がない。授業のことごとくでイタチがあまりにも図抜けた成績を残すため、仲間は自然と遠慮がちになっていた。誰もが恐る恐るという感じで一度は声をかけてくるが、イタチの簡潔で明解な返答を聞くと、それ以降話をしようとは思わないようである。

友達と馴《な》れ合《あ》うために学校に来ている訳ではないから、そんなことはどうでもよかった。どんなに優秀な成績を残しても、満たされない気持ちであることのほうがイタチにとっては大きな不満であった。

学校の成績には百点という限界がある。それ以上の評価は有《あ》り得《え》ない。それが不毛に思えた。

こんな場所で果たして忍の資質など判《わか》るのだろうか？

学校の成績と忍としての実力はイコールで結べない。そんな気がしていた。だからつねに満たされない。この学校で一番になることと、自分の夢が直結していないという事実が、イタチを迷わせる。

「このテストは必ず親御《おやご》さんに見せるように」

先生の言葉を聞きながら、イタチは百点と書かれた紙を丁寧《ていねい》にふたつに折った。

*

「あの……」

突然かけられた声に、ゆっくりと振り返った。

放課後の廊下である。

まわりには、これからの遊びのため待ち合わせしている男子や、きゃっきゃと甲高《かんだか》い笑い声をあげながら話している女子の姿がある。誰もが窮屈《きゆうくつ》な学校から解《と》き放《はな》たれた解放感で、やけに元気がよい。

「うちはイタチ君だよね?」

そう言って女の子は上目がちにイタチを見た。

黒い髪を肩のあたりまで伸ばし、両手を胸の前あたりで組んでいる。細い眉《まゆ》の下の眼は切れ長で冴《さ》え冴《ざ》えとしていながらも、どこか優しさを感じさせる不思議な魅力を持っていた。

「そうだ」

「わ、私もうちは一族なんだ」

「そうか」

ぶっきらぼうな口調で返す。この女子に対してだけではない。学校でのイタチはつねにこんな態度なのだ。大抵《たいてい》の者は、このあたりの会話で心が折れる。そして二度と踏みこんでこようとはしない。

「私の名前はうちはイズミ。隣のクラスなんだ」

「それで？」

今日は久しぶりにシスイが休みで、学校が終わったら一緒に修業をすることになっている。こんなところでもたもたしている時間はなかった。

「帰り道同じだね」

「うちはの集落はひとつだ。当然そうなる」

「あ、あの……」

イズミと名乗った少女がそう言ってうつむいた。

「い、一緒にっ……」

「悪いが急ぐんだ」

イズミが言ったのとイタチが背をむけて廊下を駆けだしたのは同時だった。

＊

「どうだ学校は？」

額の汗をタオルで拭《ぬぐ》いながらシスイが言った。イタチは肩を激しく上下させ、熱い息を吐いている。

集落の中心地にある公園。

二人で四時間ほど走った後だ。ただの走りではない。全速力である。限界の速度を維持《いじ》したまま四時間走るのだ。忍の修練をしていない者ならば、五分も保《も》たない。

自分よりも涼しい顔をしたシスイを少し睨《にら》むような眼で見ながら、イタチは口を開いた。

「シスイと修業をしているほうが、よっぽど有益だ」

「忍者学校《アカデミー》に入ると、いっぱしの口を利くようになるんだな」

「オレは変わっていない」

「たしかにお前は、昔からガキのくせに生意気《なまいき》だ」

そう言って笑うシスイの手がイタチの頭に置かれる。

「お前にかなう同級生なんかいないだろ？」

「…………」

イタチは答えない。

「いるのか？」

驚いたようにシスイが問う。

頭を押さえつけられたままイタチは首を左右に振った。

「同級生がどんな成績か知らない。校庭で動きを見る限り、凄《すご》いと思うヤツは一人もいない……」

「自分しか見えていないというわけか」

シスイの言う通りかもしれないと思った。

イタチには同級生の姿など見えていない。

自分がどうあるべきか？

どうすれば誰よりも優《すぐ》れた忍になれるのか？

幼い頃よりそればかりを考えている。

他人のことを思うような余裕はなかった。

「お前より凄いヤツなんか学校にはいないさ。オレが断言してやる」

シスイの手がぐりぐりとイタチの頭を揺さぶった。

「やめてくれ」

手を払《はら》い除《の》ける。

「お前がいれば、うちはの未来は安泰《あんたい》だ……」

そう言って笑ったシスイの笑顔は、どこか寂《さび》しげだった。

*

サスケが隣で健《すこ》やかな寝息を立てているのを聞きながら、イタチは布団《ふとん》に寝転がっている。新《あら》たな集落に引っ越してきて一年余りが過ぎ、寝床の天井もずいぶん見慣れてきた。

子供二人が眠る寝室のむこうには、家族の食卓がある。いまそこにはフガクとミコトの二人がいるはずだ。

「凄いでしょ、イタチの成績」

閉じた襖《ふすま》のむこうから母の声が聞こえてきた。

すでに子供たちは寝ていると思っているようだ。聞くでもなくイタチは、天井をぼんやりと眺めている。

「さすがオレの子だ」

「ええ、そうね」

父に褒《ほ》められている。そしてそれを母が喜んでいる。

悪い気持ちはしなかった。

「アイツは学校ではどうなんだ？」

「どうって、こんなに優秀な成績なんだから……」

「そういうことじゃない」

父が母の言葉を切った。

「友達はいるのか？」

「あまり友達のことは話さないわね、あの子」

「アイツは楽をするということを知らない」

「それは悪いことではないわ」

「しかしアイツのは度が過ぎている。忍として早く一人前になりたいと焦《あせ》っているようだ」

見透《みす》かされている……。

顔が少しだけ熱を帯《お》びた。

「アイツの忍に対する真摯《しんし》な姿勢は、時に親であるオレでさえ見習わなければと思う。が、張り詰めすぎた糸は脆《もろ》いものだ。なにかの弾《はず》みで切れてしまわないかと、オレは心配なんだ」

「あの子は優しい子よ。サスケをあやしている時のイタチを見ていればわかるわ。あの子は大丈夫。それに最近ではシスイをお兄さんのように慕《した》って、一緒に修業したりしてるみたいだし、仲間はいるわ」

「瞬身《しゅんしん》のシスイか……」

最近、忍として名をあげてきたシスイが〝瞬身〟と呼ばれているのは、イタチも知っていた。

「年長の友もいいが、同級の友達と語らい、楽という感情を少しでも覚えてくれればいいのだが」

「あの子ならできるわ」

同級の友……。

イタチの脳裏《のうり》に浮かんだのは放課後、唐突《とうとつ》に声をかけてきた少女の顔だった。

「うちはイズミ……」

少女の名前を呟《つぶや》くと、イタチは静かに瞳《め》を閉じた。

＊

忍者学校《アカデミー》入学から半年。

イタチの名前は全校に鳴《な》り響《ひび》いていた。

学校創設以来の天才。そう口にする先生や生徒がいるほど、イタチの優秀さは群を抜いていた。

一年目の生徒たちが受ける授業から習うことなどなにひとつなく、先生がイタチだけに特別に課題やテストを与える。それでも平然とこなすイタチを前に、先生たちもお手上げの状態だった。

下忍《げにん》のレベルに十分に達している。

先生たちの満場一致の判断で、一年での卒業が決まったのは入学してまだ四か月あまりのことだった。

先の大戦と九尾《きゅうび》の襲来によって疲弊《ひへい》した木ノ葉隠れの里は、早急な人材確保を求められている。そのため忍者学校《アカデミー》でも、先生たちが特に優秀だと判断した一部の生徒に限り、特例として期間満了を待たずに卒業試験を受けることができた。試験をパスすれば、先輩の卒業式に同席してそのまま下忍として任務につくことになる。

当然のようにイタチは卒業試験をパスした。

試験は分身《ぶんしん》の術。

忍者学校《アカデミー》に入学する前にはシスイの指導の元、完璧にマスターしていた。

〝お前ならすぐに忍としてやっていけるさ〟

早く忍になりたいというイタチの願いを知るシスイは、こう言って分身の修業に付き合ってくれた。

残りの学校生活は半年……。

すでにイタチの卒業は決まっていた。

自分を呼び止める声を背後に聞き、イタチは廊下を歩く足を止めた。

「おい、お前！」

「お前か？　うちはイタチってのは」

上級生が三人立っている。

恐らく最上級生。

イタチは忍として生きるための修練に人生をすべて費《つい》やしている。余計なことに注《そそ》ぎこむ力は一切《いっさい》残っていない。自分のクラスの生徒たちですらせいぜい名前と顔を覚えている程度である。他のクラスの生徒や上級生のことなどなにも覚えていない。だから目の前の先輩たちが最上級生だということは、背格好《せかっこう》で判断した。

忍者学校《アカデミー》を卒業する平均的な年齢は、十二歳。

七歳のイタチとは体格がまったく違う。目の前に立つと見上げるような格好になる。

「お前、俺らのこと知ってるか？」

「いや」

端然《たんぜん》と答えたイタチに、中央に立ってさっきからずっと話している先輩が眉間に皺《しわ》を寄せた。

「噂《うわさ》通り生意気《なまいき》な野郎だな」

恐ろしく鼻が低く目が細い先輩だった。

「オレは出雲《いずも》テンマ。早駆けのテンマって言や、学校で知らないヤツはいねぇ」

自分は知らなかった、と喉《のど》まで出てきたがイタチはそれをグッと呑《の》みこんで、テンマと名乗った上級生を見つめている。

「やっちまおうか？」

テンマの右隣に立つ垂《た》れ目《め》の先輩が言った。テンマに気を使っているのかオドオドしている。

「そう焦んなカツラ」

カツラと呼ばれた先輩が、媚《こ》びるような笑《え》みをテンマに投げた。

「お前、なんで俺たちに呼び止められたのか解《わか》ってんだろうな？」

テンマの左隣の男が右の眉《まゆ》毛《げ》を思いっきり吊《つ》りあげながら、イタチに問うた。三人のなかでは一番背が高い。

「さぁ……」

「んだと、この野郎」

「待てハギリ」

身を乗り出すハギリをテンマが制する。

「こいつには、この学校の礼儀ってやつをじっくりと教えてやるんだから、焦るんじゃねえよ」

そう言いながら、テンマがゆっくりと歩《ほ》を進めてイタチの前に立った。

「忍の世界ってのは上下関係が大事だってのは、知ってんだろうな？」

「フォーマンセルが基本の忍の任務では、上官にあたる上忍中忍《じょうにんちゅうにん》の命令が絶対。故《ゆえ》に礼節と長幼《ちょうよう》の序《じょ》こそ忍の根幹《こんかん》」

「優等生らしい、スッキリとした答えだ。が……」

テンマの顔に邪気《じゃき》が宿る。

「そういう態度が気に喰《く》わねぇんだよ」

たがいの息がかかるほどの距離に近づいて、テンマが睨みつける。

「うちはのくせに、ホントに目障《めざわ》りなんだよ」

「そこまで言うかよ……」

テンマの言葉に呆《あき》れるようにハギリが呟いた。しかしその声にも、明らかな嘲笑《ちょうしょう》が含まれている。

粗暴《そぼう》な三人を恐れ、他の生徒は誰も近寄らない。

昼休み。

先生たちはみな職員室に戻っている。

この場を自分が支配しているという優越感で、テンマの口許《くちもと》に邪悪《じゃあく》な笑みが張りついていた。

目の前の生意気なヤツも所詮《しょせん》は下級生。自分たちが少し脅《おど》してやれば、泣いて謝《あやま》ると頭から決めつけている。

これまでそうやって何人もの同級生や下級生を従わせてきたのだろう。

五つも年下の下級生を脅しているという、恥ずかしさは一切ない。

心根《こころね》の薄暗い高慢さが、三人の顔ににじみでていた。

こんな愚《おろ》か者《もの》たちを打ちのめすなど、三分とかからない。

生意気だなんだと言っているが、要はイタチを屈服させたいのだ。優秀だと言われている下級生に泣きを入れさせて、自分たちの虚栄心を満足させたいのだろう。

だったらなぜ、背後から呼び止めたあの瞬間に、襲ってこなかったのか？

ここはただの学校ではない。

忍になるための修業の場だ。

殺《や》ると思った時にはすでに行動を起こしている。

それが忍ではないか。

この上級生たちは学校という仕組みに守られているということが解っていない。

まるで隙《すき》だらけだ。

イタチは背にクナイを忍《しの》ばせている。

それも都合《つごう》よく三本。

この場を動く必要すらない。腰の後ろに手を回し、クナイをつかんで前方に放つだけで、テンマたちは額に風穴を開けて倒れる。

でも殺らない。

殺ると決めた時には動いているのが忍だと考えるイタチが、動かないということは殺らないということだ。

理由は簡潔。

イタチは争いを好まない。だからこれまで一度も喧嘩《けんか》をしたことがなかった。喧嘩だから本当に殺す訳にはいかない。手加減が必要である。その肝心《かんじん》の手加減ができるか不安なのだ。本当に殺してしまうんじゃないかと思う。

だから殺らない。

無益な争いは避けるべき。

が……。

このまま殴《なぐ》られるつもりもなかった。

「九尾に里を襲わせたのはお前らなんだろ？」

テンマの言葉に鼓動《こどう》が速くなる。

「里の大人《おとな》はみんな言ってるぜ。うちは一族が九尾に里を襲わせたって。お前らはずる賢《がしこ》い一族だから、犯人は絶対に捕《つか》まらないだろう。が、犯人は必ずうちは一族にいる。その証拠《しょうこ》に、火影様たちもお前らを疑ってるから、里の端《はし》っこに集められたんだってな」

「オレは知らない」

「知らないで済《す》む話じゃねぇんだよ」

眉間の皺をいっそう深くしてテンマが続ける。

「オレの叔父《おじ》さんは九尾襲来の時に死んだ。コイツの父ちゃんだってそうだ」

そう言ってテンマは背後に立つカツラを指さした。

「お前んところはどうだったたっけ？」

イタチを睨みつけたままテンマがハギリに問うた。

「妹を守るために、飛んできた瓦礫《がれき》の下敷きになって母ちゃんがオレの目の前で……」

ハギリが口籠る。

イタチはサスケと母を守った時の光景を思いだしていた。

飛来する巨岩に無心で飛び、全身の力で打ち砕いた。

お前は母が死ぬのを黙って見てたのか？

お前はオレのようにできなかったのか？

ハギリに問いたかった。

なにかを守るため、悲しみを払うためには、強くなければならない。

「うちは一族はオレたちの仇《かたき》なんだよ。いわばお前は、オレたちの肉親を殺した憎むべき仇なんだ」

冤罪《えんざい》のうえに拡大解釈……。

人間のこういう感情のなかにこそ戦争の根本《こんぽん》はある。

大切な人を失った喪失感《そうしつ》をどうにかして埋めたいと思う。そのどこにぶつければよいのか解らない感情は、正常な判断を奪《うば》い暴走する。

そして誰かを傷つけるのだ。

先輩たちのひと言《ひと》ひと言が、イタチを重苦しい気持ちにさせてゆく。

「謝れよ」

テンマが身を引いた。そして己《おのれ》とイタチの間にできた空間を指さして叫ぶ。

「ここに土下座して〝うちは一族でスミマセンでした〟って謝れよ！」

「断《ことわ》る」

感情の一切を押し殺し、イタチは淡々と言い放った。先輩たちの顔色が一気に変わる。

それまで激しい感情で紅潮《こうちょう》していた顔が、イタチの言葉を聞いた途端《とたん》すっと青白くなった。

生意気な下級生を脅し、そのついでに九尾事件で親族を失ったやるせない思いすらも発散しようという浅はかな衝動が、イタチ本人に対する怨嗟《えんさ》へと変わった瞬間だった。

「て、てめぇ……」

三人の手が己の背後に回る。

クナイの柄《つか》を手にしたのだ。

イタチは両手をだらりと垂らしたまま、先輩たちを見つめている。

争うつもりはない。

いざとなったら分身の術を応用した変わり身の術でやりすごすつもりだ。

イタチの変わり身の術は一風変《いっぷうか》わっている。

普通の変わり身の術は、攻撃を受ける寸前に符《ふ》を張りつけた丸太と自分の身体《からだ》を入れ替えて相手を惑《まど》わす。しかしイタチの場合は、丸太を使用せず無数の烏《からす》を使う。

シスイと修業を行っている時、密林を飛ぶ烏の群れを見て思いついたものだった。

通常のように丸太を使うと、相手を惑わす効果が薄い。しかし烏は入れ替わった瞬間に四方八方に飛び散るから、相手は驚いて混乱する。

生じる隙は丸太の比ではないはずであった。

実戦で試すのは初めてである。

上手《うま》くいくか……。

タイミングは三人のいずれかがイタチの身体にクナイを突きつけた時だ。

四人の呼吸が浅い。

イタチとテンマたち双方が、たがいの出方をうかがっている。

張り詰めた静寂《せいじゃく》が昼休みの廊下に流れた。

「やめなさいよ！」

静けさを破ったのは少女の甲高い叫び声だった。

イタチの前にイズミが立っている。

両腕を高々とあげながら、先輩たちにむかっていた。

「私もうちは一族です！　でもアナタたちに謝るつもりはありません！　だって、九尾を呼んだのは、うちは一族じゃないから」

突然のことにテンマたちが呆気《あっけ》にとられている。

「うちは一族も里に住んでるんです。この前の騒ぎで大事な人が死んでるんです。だから……」

涙ぐんでいるのが背中からもわかった。

「犯人はうちはじゃない！」

「退《ひ》け」

険《けわ》しい表情でテンマが言った。

「退きません」

毅然《きぜん》とした態度でイズミが叫ぶ。

「だったらお前も……。っ！」

イズミを睨んでいたテンマの様子《ようす》が変わった。

「お、おいアレ見ろよ」

カツラがテンマの肩に手をかけ、もう一方の手でイズミの顔を指さす。

「しゃ、写輪眼《しゃりんがん》だぜ」

ハギリが怯《おび》えを露《あら》わにして呟く。

「い、行くぞ」

テンマの声と同時に、三人が背中を見せて走りさった。

「大丈夫？」

振り返ったイズミの両の瞳《ひとみ》が真《ま》っ赤《か》に燃えていた。

丸い瞳の中に小さな丸が浮かびあがり、その上に勾玉《まがたま》のような文様《もんよう》がひとつ入っている。

うちは一族に伝わる最強の瞳術《どうじゅつ》・写輪眼……。

「お前……」

「でしゃばってゴメンね」

そう言って笑ったイズミの身体から力が抜けた。

駆け寄って肩を抱く。

イズミは気を失っていた。

保健室のベッドに寝かされたイズミが気を取り戻したのは、放課後になってからのことだ。授業を終えてからずっと付き添っていたイタチに、目覚めたばかりのイズミは恥ずかしそうに笑った。

「余計なことしてゴメンなさい」

耳の先まで真っ赤にしてイズミが謝る。

「余計なこと？」

「だってイタチ君だもん。私なんか邪魔《じゃま》だったよね」

「お前のおかげで助かった」

たしかにイズミの言う通りかもしれなかった。だが、イズミの眼のおかげで三人はなにもせずに逃げたのだ。

「怒ると自分でもわからないうちに、あの眼になっちゃうんだ」

「どうやって開眼したんだ？」

イタチはまだ写輪眼を開眼していない。

きっかけはどうやら心にあるらしいのだが、そのあたりのことはシスイも教えてくれなかった。

忍として何事も人並み以上にこなせるイタチにとって、写輪眼に目覚めていないという事実は、耐《た》え難《がた》い現実である。

それをイズミが……。

理由が知りたかった。

「この前の九尾の事件でお父さんが死んじゃったんだ……」

初めて知った。

イズミの父はうちは一族だ。ならば、イタチの父親の下で働いている可能性が高い。父の部下で殉職者《じゅんしょくしゃ》が出たという話は聞いたことがなかった。

「あ、私のお父さんはうちは一族じゃないの。お母さんがうちはなの。お父さんが死んじゃったから一族に戻ってきて、私もうちはになったんだ」

まるでイタチの心を読んだように、イズミが語った。

「お父上が死んだことと、写輪眼に関係があるのか？」

「うん」

イズミは一度小さく息を吸うと、イタチの眼を見て話しはじめた。

瞳は元に戻っている。

「私、お父さんが死んだ時、そばにいたの。目の前でお父さん、私をかばって死んじゃった。だから私……」

イズミの頬《ほお》を涙が濡《ぬ》らす。

「もっと私に力があれば、お父さんは死ななくて済んだのにって……。お葬式の最中も、その後もずっと自分を責《せ》めたの。力があればって」

耐えられないといった様子でイズミがうつむいた。

「そうしたら急に眼の奥のほうでなにかがドクンって脈打って。チャクラがどんどん眼に集まって、私倒れちゃったの。気がついたらお母さんがいて、それが写輪眼だって教えてくれたの」

「そうか……。辛《つら》いことを思いださせて悪かった」

「ううん、気にしないで」

イズミは笑った。

イタチは右手を差しだす。

戸惑うイズミが、頭を右に傾ける。

無言のまま待った。

白くて細い手が布団のなかから出て、ゆっくりと持ちあがる。

白く細い掌《てのひら》を握った。

「ありがとう」

イタチの言葉に、イズミは小さく笑った。

＊

白いファイルを机に投げだし、ダンゾウは目の前に立つ部下を見た。

部下は白塗りの虎《とら》の面を着けている。眼の穴のあたりから左右に伸びる紅《あか》い隈《くま》どりが、怒《いか》りを表しているように、吊《つ》りあがっていた。

「うちはイタチか……」

ファイルに貼《は》られた写真は、まだ幼い少年の顔だった。ダンゾウを見つめるかのごとき瞳には、少年とは思えぬ力強さがある。

「忍者学校《アカデミー》創設以来ノ俊才ダト、方々《ホウボウ》デ評判デス。入学後四カ月デ卒業試験ヲ終エ、来年ノ春ニハ卒業ガ決定シテオリマス」

やけに硬質な部下の声を、ダンゾウはファイルに目を落としたまま聞き、口許《くちもと》に笑みを浮かべた。

「各部署での獲得《かくとく》合戦が目に浮かぶな」

「ハイ」

重い腰を椅子《いす》から持ちあげる。

三代目火影の陰《かげ》として、里の闇《やみ》を担《にな》いつづけてきたダンゾウも、近ごろは己の身体の重さを痛烈に感じていた。死期を悟《さと》るほどに老《お》いてはいないが、そろそろ自分の寿命というものを考える歳ではある。

十年先、二十年先……。

自分は確実に死ぬ。

それまでに果たさなければならないことがある。

木ノ葉隠れの里が生まれた時からの禍根《かこん》を断《た》つことが、ダンゾウ生涯《しょうがい》の仕事であった。

「まだなにものにも染まっていない俊才……」

窓外《そうがい》に見える闇に、ダンゾウは目をむけた。束《つか》の間《ま》の平和を貪《むさぼ》るように、闇がひっそりと静まり返っている。戦時を生きてきた男には、殺気が渦《うず》巻《ま》く夜が恋しい。

「まずは会ってみようではないか」

四

「――大戦は終わったとはいえ、いまもまだ世界は平穏《へいおん》で満たされたとは言えず、二年前の悲しい事件によって辛《つら》い日々を過ごしている方々がいまもいる現状。これを如何《いか》にして打破していくか。それは私たち若き忍《しのび》にとっても他人事《ひとごと》ではありません。我々は今日、忍としての第一歩を踏みだします。この混迷《こんめい》の世に忍として生きることは、決して平穏な道ではないでしょう。それでも私たちはここに誓《ちか》います。厳しい道を敢《あ》えて進んでこその忍。耐え忍んでこそ忍。忍者学校《アカデミー》で学んだすべてのことを糧《かて》として、私たちは木《こ》ノ葉《は》の忍として、己《おのれ》の忍道《にんどう》を全《まっと》ういたします」

朗々《ろうろう》と読みあげ、イタチはゆるゆると巻紙を巻いた。そして眼下に並ぶ卒業生と在校生、保護者や先生たちを茫洋《ぼうよう》とした視線で見渡す。

「卒業生代表、うちはイタチ」

入学から卒業まですべての成績が満点。

学校生活四か月目での卒業試験合格。

大戦中の非常時において、はたけカカシなどの一部の例外はあるものの、大戦後での忍者学校《アカデミー》最年少卒業生そして最年少首席。

イタチの学生生活はこうして幕を閉じた。

卒業生総代としてイタチが答辞を読んだことについては、先生たちの間で色々と悶着《もんちゃく》があったようだ。

卒業生たちの大半は十二歳である。

イタチのように、優秀な成績を収めて年若くして卒業する者もあったが、やはりイタチの七歳というのは若すぎた。イタチが七歳とは思えぬほどの成績と思考、そして忍の腕を持っていたとしても、他の卒業生たちの手前、あまりにも幼すぎるのではないかというのだ。

そしてもうひとつ……。

千手《せんじゅ》一族に連《つら》なる家系の先生たちを主として、イタチがうちは一族の生まれであるということからクレームがついた。

しかし結局、年齢の問題も、うちはに対する差別も、他を完全に凌駕《りょうが》するイタチの圧倒的な実力と成績の前にひれ伏《ふ》す結果となったのである。

総代はイタチ以外に有《あ》り得《え》なかった。

桜の花びらが舞う校庭をイタチは真《ま》っ直《す》ぐに歩いた。

視線の先にあるのは三人。

こんなめでたい場でも口をへの字に結んで腕を組む父。その隣で優しい笑《え》みで迎えてくれる母。そして最近歩くのが楽しくてしょうがない弟。

家族だ。

行《い》き交《か》う人の群れに兄の姿を見つけたサスケが、つぶらな瞳《ひとみ》を大きく見開いた。

「兄《に》ぃ！」

はっきりとした声で叫んだ。母はサスケに、イタチのことを〝お兄ちゃん〟と言い聞かせているが、まだ言葉をちゃんと喋《しゃべ》れないから〝兄ぃ〟となる。それでも嬉《うれ》しそうにそうやって歩いてくる弟を見ていると、なんともたまらない気持ちになった。

自分のことを無条件に慕《した》ってくれている存在……。

イタチにとってサスケとは、兄として無条件に守ってやらなければならない存在だった。

明るい笑顔でよたよた歩いてくるサスケの背後から、母が手を添《そ》えるようにしてついてくる。

「危ないぞサスケ」

穏《おだ》やかな口調で声をかける。

ふと、サスケの姿が視界から消えた。

目の前に誰かが立ちはだかっている。

男……。

暗い男だった。なにが暗いというのか、うまく言い表せない。とにかく男のすべてが暗かった。

「お前がうちはイタチか？」

見下ろしながら男が問う。

顔の右側が包帯で覆《おお》われている。全身を黒い衣《ころも》で包んでいるが、左の肩から腕にかけてはだけさせ、下に着けた白い衣が露《あら》わになっていた。

左目だけがイタチを睨《にら》んでいる。

「なるほど……」

不吉《ふきつ》を全身にまとったような男の視線を、イタチは真正面から受け止めた。男の背後で、歩いてこようとするサスケの肩を母がつかんでいる。

「お前は凶相《きょうそう》の持ち主だ」

「凶相？」

「乱を呼ぶ相だ。その皺《しわ》」

そう言って男は、イタチの目頭《めがしら》から頰《ほお》にかけて走る皺を指さした。

「お前の人生には、つねに乱がつきまとう」

晴れの日に落とされた一点の染《し》み……。

この男はいったい何者なのか？

「忍者学校《アカデミー》創設以来の天才に、ひとつ問いたい」

黙したまま男の言葉を待った。

「難破船に同胞《どうほう》である十人が乗っている。そのなかの一人が性質《たち》の悪い伝染病に罹《かか》ってしまった。このまま生かしていると他の九人も病《やまい》に罹って死んでしまうことになる。お前がこの船のリーダーならば、どういう判断を下す?」

初対面の自分に、どうしてこんなことを聞くのかという疑問が脳裏《のうり》をかすめる。が、その次の瞬間には答えは出ていた。

イタチは自分の考えを簡潔な言葉にして吐いた。

「病に罹った者はどのみち死んでしまう宿命にある。リーダーならば残った九人の命を救うことを最優先に考えるべきです。オレは一人を殺して九人を救う道を選ぶ」

男が不敵な笑みを浮かべた。

「明瞭《めいりよう》な答えだ」

男が足を踏みだしイタチのほうへと近づいてくる。

「また会える日を楽しみにしている」

イタチの横を通り過ぎる時、男は囁《ささや》くような声で言った。そのあまりにも邪悪《じやあく》な響《ひび》きに、心が闇《やみ》に汚《けが》されたような気がした。

「イタチ……」

サスケを抱いた母が駆け寄ってきた。

「なにを言われた？」

いつの間《ま》にか母の背後に迫《せま》ってきていた父が、イタチに問うた。

「大したことじゃない」

「そうか……」

言った父が、去っていく背中に目をむけた。

「あの人は？」

「志村ダンゾウ……。三代目の側近《そっきん》の一人だ」

イタチの問いに答えたフガクの声に暗い影が潜《ひそ》んでいた。

〝お前の人生にはつねに乱がつきまとう……〟

ダンゾウが残した言葉が鋭い棘《とげ》となって心に刺《さ》さっている。

イタチはうずく胸に手を当てながら、去っていく男の背中が消えるまで見つめていた。

第弐章

英明な若鳥、夕闇の後の静けさを知らず

一

「これからお前たち三人は、私の元で下忍《げにん》として働いてもらう。時には厳しい任務もあるだろう。仲間を信頼し、皆で死線を潜《くぐ》り抜《ぬ》けていこうではないか！」

窮屈《きゅうくつ》なのではないかと心配したくなるくらいギュウギュウに額当《ひたいあ》てを締《し》めた四十絡《がら》みの男が、イタチたちの前に立って大声で叫んだ。

水無月《みなづき》ユウキ。

忍者学校《アカデミー》を卒業したてのイタチたち三人の担当上忍《じょうにん》を任《まか》された男だ。

流麗《りゅうれい》な名前とは対照的な、暑苦しい顔をした男である。黒々とした短髪にめりこむように締めた額当ての下には使い古しの箒《ほうき》のごとき眉《まゆ》があった。ボサボサの眉の下にある瞳《ひとみ》は魚のように真ん丸で、大きく開ききった鼻と、分厚《ぶあつ》い唇《くちびる》のくせにやけに横幅が短い口をしている。

「なにが仲間を信頼し、だ……」

イタチの隣に座っていた下忍がユウキに聞こえない程度の声で言った。

出雲《いずも》テンマ……。

忍者学校《アカデミー》時代、イタチに土下座を強要しようとした三人組のリーダー格である。上っ滑《うわすべ》りの演説を続けるユウキをよそに、テンマは膝《ひざ》を抱《かか》えて座りながらじっとイタチを見つめている。

「チームに里のお荷物一族がいるんじゃ、チームワークもへったくれもねぇぜ」

「ちょっとアンタ、さっきからペチャクチャ五月蠅《うるさ》いんよ！」

ユウキの演説をさえぎるようにして女の子が怒鳴《どな》った。

テンマのむこうに座っていたもう一人の仲間だ。

名前は稲荷《いなり》シンコ。

テンマの同級生である。

「学校ん時からアンタはずっとイタチんことばウザいっち言いよったばってんが、もう下忍になったんやけん。そげんか小《ち》っちゃかことば、いつまでもウジウジ言わんとよ」

「うるせぇ！　女のくせに。ってか学校に行ってる時から気になってたんだが、お前《め》ぇの喋《しゃべ》り、なまりがひどくて途中で見失っちまうんだよ」

「三年前に木ノ葉《こは》に来たばっかりなんやけん、仕様《しよう》がなかろうもん！」

シンコが口を尖《とが》らせて叫ぶ。

「二人ともいい加減にしないか」

おろおろしながらユウキが二人をなだめる。しかし二人は睨《にら》み合《あ》ったまま言い合いをやめる気配すらない。

「女ってのは、顔がいい男には優しくなるからな」

「なっ、なんで私がそげんかことでイタチば庇《かば》わないかんとよ。大体イタチはまだ七歳やん。私は十三よ？　恋愛対象にもならんっ」

「恋に歳《とし》なんか関係ねぇだろ！」

「き、君たちはいったいなにを話して……」

「ふぅ」

三人のあまりにも情けない姿に、イタチの口から無意識に溜息《ためいき》が漏《も》れた。

それを見咎《みとが》めたテンマが激昂《げっこう》する。

「手前《てめ》ぇ、なに呆《あき》れてんだ」

付き合いきれない……。

イタチは目を閉じたまま立ちあがる。

「逃げんなこの野郎！」

「イタチ君も、この馬鹿男に一発ドカンと言ってやらんね！」

二人の声を無視しつつユウキの顔を見た。

「今日は顔合わせだけと聞いていますが？」

「う、うん……」

ユウキは明らかにチーム最年少のイタチに一番気を使っているようだった。

「だったらもう今日の予定は済《す》んだのではないでしょうか？」

「そ、そうだね」

「ならば失礼します」

「あ、明日《あした》からは正式な任務だから、集合時間に遅れないでね」

立ちさろうとした足を止め、肩越しにユウキを見た。

「解《わか》っています」

「逃げんじゃねぇこの野郎！」

叫びながらテンマが立ちあがる。

「まだ私との話が終わっとらんめぇもん！」

シンコがテンマのズボンの裾《すそ》をつかんだ。

「なにしやがる」

「五月蠅いったい、本当にアンタは！」

二人の言い争いを聞きながら、イタチは二度と振り返らなかった。

先が思いやられる。

＊

「いま帰りか？」

見慣れた背中に声をかけた。

振りむいた顔が、イタチを見つけた瞬間、ぱっと明るくなる。

「イタチ君」

うちはイズミだ。

「今日は任務？」

「顔合わせが終わった。任務は明日からだ」

「ふぅん」

イズミはまだ忍者学校《アカデミー》に通っている。わずかひと月前までは自分もこうして学校へ通っていたのだと思うと、懐《なつ》かしい思いに襲われた。

帰り道は一緒。うちはの集落だ。どちらからともなく二人は並んで歩きだす。

「仲間はどう？」

「あの先輩がいた」

「え？」

「お前がやっつけてくれた三人の先輩の、一番大声だったヤツだ」

それでイズミが気づいた。

「や、やっつけたなんて……」

どう言えばいいのか言葉がないといった様子《ようす》でうつむくイズミを見ていると、不意に笑いがこみあげてきた。吹きだすようにしてイタチが笑うと、イズミは目を大きくしてそれを見つめる。

「どうして笑うのよ」

「なんとなく可笑《おか》しくなった」

「なんとなくって酷《ひど》いな……」

「すまない」

今度は二人で笑う。なにか可笑しいことを言った訳《わけ》ではないのに、なぜか二人は同時に笑った。

「写輪眼《しゃりんがん》は使えるようになったか？」

「そんなことできたら、私もイタチ君を追って学校を卒業してるよ」

悔《くや》しそうに口を尖らせるイズミを見るでもなく、イタチは歩《ほ》を進める。

「オレはまだ開眼すらしていない」

「なのにもう学校を卒業して下忍なんだもんね。写輪眼を開眼したらどんな忍《しのび》になるんだろう」

「さぁな……」

語らう二人の前にうちは一族の集落を仕切る塀《へい》が見えてきた。里と集落を分ける瓦葺《かわらぶ》きの豪壮《ごうそう》な門扉《もんぴ》に、うちはの家紋《かもん》が描かれている。

「なんか最近、大人《おとな》たちが怖《こわ》くない？」

集落へ一歩一歩近づきながら、イズミが密《ひそ》やかに聞いてくる。

「なにか聞いたのか？」

「ううん」

イズミが首を左右に振る。

「でも、集落のなかを歩いていると、ふと怖くなることがあるの……」

イズミは七歳にして写輪眼を開眼している。まだ十分に使いこなすことができないとしても、忍としての素養《そよう》は十分にあるはずだ。

もともとうちは一族は感覚の鋭い一族である。その能力を早くも開花させはじめている
イズミの直感だから、あながちすべてが妄想《もうそう》だとも言いきれない。

「なにが怖い？」

怯《おび》えるイズミに優しく問う。

「大人たちが、なにか嫌《いや》なことを考えているんじゃないのかって……」

嫌なこと……。

幼い物言いだからこそ、余計に真に迫《せま》っていた。

イタチの脳裏《のうり》には父の元に通う三人の部下たちの顔が浮かんでいる。四代目火影《ほかげ》が決まった時、九尾《きゅうび》事件後の集落移住問題の時、そして父が頻繁《ひんぱん》に通っている南賀《なか》ノ神社での会合……。

すべてがイズミの直感を肯定《こうてい》する事象のように思えてならない。

「イズミ」

集落の門を潜《くぐ》りながらイタチは友の名を呼んだ。視線は行く先にむけたまま、イズミの顔は見ていない。

「いま話したようなことは、あまり人に言わないほうがいい」

「う、うん……」

力なくイズミがうなずく。

「イタチ君がそう言うなら、そうする……」

それ以降は二人ともなにも語らず、たがいの家へ戻った。

二

無数の烏《からす》が敵を襲う。

逃げだす隙間《すきま》すらないほどに密集した嘴《くちばし》に囲《かこ》まれ、大の大人《おとな》が悲鳴をあげる。

イタチの影分身《かげぶんしん》に、敵がまんまと引っかかった。

「いまです！」

イタチが叫んだのは烏の群れから遠く離れた樹上からである。見下ろす先には、悲鳴をあげつづける敵と、その足元で腰を抜かすテンマ。そして二人を囲むようにして立つユウキとシンコの姿があった。

「行くぞシンコッ！」

「はいっ」

二人が敵に飛びかかると同時に、烏が舞いあがって森のなかに消えた。

「ぎゃぁぁぁあっ！」

悲痛な断末魔をあげて敵が倒れた。

事の仔細《しさい》を見極《みきわ》めると、イタチは静かに枝から飛び降りた。

「よい判断でしたイタチ君」

そう言ってユウキが拍手をする。それを忌々《いまいま》しげに見つめながら、テンマが立ちあがった。シンコは男たちを気にするでもなく、死んだ敵の状態を確認している。

木ノ葉隠れの里に出入りしている野菜売りの行商の一人が岩隠《いわがく》れの諜報《ちょうほう》部隊であると知れた。これを始末せよという指令を受け、イタチたち第二班は里を出た。

敵国の諜報部隊の抹殺《まっさつ》は普段は暗部《あんぶ》の仕事である。しかしこの時、暗部はある重大な案件に駆りだされて一人も里に残っていなかった。

日向《ひゅうが》ヒナタ誘拐未遂《みすい》事件……。

長年、木ノ葉隠れの里と敵対関係にあった雲隠《くもがく》れの里の忍頭《しのびがしら》が同盟締結《ていけつ》のために来訪。里は祝賀ムードに覆《おお》われたが、その夜、日向一族の宗家《そうけ》の娘、ヒナタが何者かによって誘拐されそうになるという事件が起こった。犯人は殺され、事なきを得たのだが、その正体が雲の忍頭であったことで状況は里間の問題にまで発展。自里の忍頭を殺された雲隠れの里は、日向宗家の死体を寄越《よこ》せという強硬な条件を出してきた。木ノ葉は宗家の弟を、宗家と偽《いつわ》って差しだすことでなんとか戦争という事態を免《まぬが》れたのである。

非常事態に暗部はことごとく駆りだされ、里の主《おも》な忍《しのび》たちもいつ戦争になるやもしれないという状況で、迂闊《うかつ》には動けなかった。

だからといって岩の密偵《みってい》をみすみす取り逃がす訳《わけ》にはいかない。

そこで第二班に白羽《しらは》の矢が立った。

実際には第二班というよりイタチが選ばれたのである。

イタチの実力は、七歳にしてすでに並の中忍《ちゆうにん》程度ならばかなわないとまで言われていた。

そこに木ノ葉の首脳陣は目をつけたのである。

実際、仕事は順調に運んだ。

イタチが里の外に仕掛けた罠《わな》に密偵は面白《おもしろ》いほど簡単に嵌《はま》り、みずから居場所を明確にしてしまった。急行したイタチたち第二班は、イタチを先頭に包囲の陣形を取り、男を追《お》い詰《つ》めたのである。

ここでテンマが焦《あせ》った。

じりじりと時間をかけて追い詰めればなんということのなかった任務だが、功《こう》を焦ったテンマが突出。窮鼠《きゆうそ》猫を嚙《か》むの譬《たと》えのごとく、必死の密偵の攻撃がテンマの喉首《のどくび》を襲う。

間一髪《かんいっぱつ》でイタチが助けに入った。

密偵のクナイがイタチを貫《つらぬ》く。が、変わり身の術。無数の烏となって敵を襲う。

後は前述の通りである。

「変装はしとらんごたる」

密偵の屍《しかばね》の前にしゃがんでいたシンコが呟《つぶや》いた。学校では主に医療忍術を学んだシンコは、こういう時のためにチームに配属された忍だ。敵の変装の有無《うむ》や、毒の知識、そして仲間の治療と、医療忍術は部隊になくてはならない。

「そうですか、それはよかった」

ユウキが安堵《あんど》の声をあげるのをよそに、立ちあがったシンコが両手を腰に当ててテンマを見た。

「アンタ、イタチになんか言うことがあるっちゃなかとね」

「あぁ？」

片方の眉《まゆ》を思いっきり吊《つ》りあげながら、テンマはあらぬほうを見上げている。

「イタチの機転がなかったら、いまごろアンタは死んどるとよ。礼のひとつぐらい言わんといかんちゃなかと？」

「だからお前《め》ぇはなに言ってんのか解《わか》んねぇんだって」

「ホント、アンタっち人は……」

鼻息を荒くしてシンコがテンマへと歩《ほ》を進める。

二人の間に割って入った。

右手をシンコの前に差しだす。

「もういい」

「だ、大体アンタがそげんか態度ば取りよるけんが、この男が調子に乗るっちゃろうもん。年下っち言ってもアンタも下忍《げにん》なんやけんが、もっとバシッと言ってもよかとよ」

「いいんだシンコ」

口許《くちもと》に微笑を湛《たた》えたイタチを見たシンコが、溜息《ためいき》を吐《つ》いた。

「もう勝手にせんね」

言って背をむけるシンコを、ユウキがそわそわとした様子《ようす》で見つめている。

「べつにお前に助けられなくても、オレはやられやしなかった」

「あぁ」

殺気……。

イタチは冷静に発信源を辿《たど》った。

テンマだ。

拳《こぶし》がむかってくる。

最小限の動きでテンマの拳をつかんだ。

「そのなにもかも見透《みす》かしたような態度が、本当に気に喰《く》わねぇ……」

食《く》い縛《しば》った歯をギリギリと鳴らしながら、テンマが呟いた。

「謝《あやま》れば気が済《す》むのか？」

「そういう受け答えがムカつくって言ってんだよ！」

拳を振《ふ》り解《ほど》いて、今度は蹴《け》りを放《はな》ってくる。

上半身だけを仰《の》け反《ぞ》らせて避《よ》ける。

虚《むな》しく空《くう》を斬《き》った蹴り足の勢いで、テンマが二周ほど身体《からだ》を回転させた。そしてそのまま
イタチに背をむけ、ドカリと座りこんだ。

「お前にオレの体術が届く訳ねぇな……」

背をむけたままテンマが呟く。

「なにもかもできちまうお前に、オレの気持ちなんか解りゃしねぇよ」

かける言葉が見つからない。

「学校でのことは悪いと思ってる。そしていまさっきは……」

テンマはうつむいたまま動かない。

イタチは黙ったまま丸まった背中を見つめている。

「ありがとよ」

＊

「さぁ、入れ」

父に背中を押されながら、イタチは閉めきられた障子《しょうじ》に手をかける。染《し》みひとつない障子紙のむこうは、しんと静まり返っていた。なのに、肌にビンビン伝わってくるほど、障子一枚隔《へだ》てたむこうには色濃い気配がぐぐもっていた。

不穏《ふおん》な気配だ……。

「イタチ」

障子を開く前から、イタチの心はすでに沈んでいる。

父が急《せ》かす。

仕方なく障子を開く。

十五畳《じょう》ほどの広間を、人が埋《う》め尽《つ》くしていた。

明かりがないから、すべてが黒い影である。

「待たせたな」

イタチを部屋のなかに誘《いざな》いながら、父も敷居《しきい》をまたぐ。そして後ろ手で障子を閉めた。闇《やみ》がよりいっそう濃くなる。

誰からともなく数名の人影が立ちあがり、部屋の四方に立てられていた蠟燭《ろうそく》にいっせいに火を点《つ》けた。室内が仄《ほの》かに照らされる。

「そこに座って聞いていろ」

父が指さしたのは一番下座《しもざ》であった。人で埋め尽くされた床が、そこだけ空《あ》いている。イタチは人を掻《か》き分《わ》けながら示された場所まで歩くと、静かにそこに座った。息子《むすこ》が落ち着くのを見届けた父は、皆の中央を掻き分けて上座《かみざ》に行き、全員と相対《あいたい》するような形で座した。

「これより定例の会合を始める」

父の右隣に座っているヤシロが宣言し、続けた。

「今日から、フガク殿《どの》の御子息《ごしそく》であるイタチも参加することになった」

「息子は七歳。会合の参加資格である下忍という身分は得ているが、まだまだ若輩者《じゃくはいもの》だ。一族の現状を幼いうちから知らしめておこうという父親の身勝手な望みで参加させることになった。よろしく頼む」

言ってフガクが頭を下げた。相対している者すべてが、いっせいに頭を下げて応《こた》える。

「では、前回に引きつづき〝一族の集落隔離《かくり》に対する火影《ほかげ》への意見書提出〟という議題について語っていきたいと思う」

ヤシロの言葉を聞き終えぬうちに、参加者がいっせいに語りはじめた。

木ノ葉に対し強硬な姿勢を見せるべきという者、冷静に状況を見極《みきわ》めて穏便《おんびん》に進めるべきと語る者、どちらの意見に賛同するかと皆の顔色をうかがっている者。それぞれ思惑《おもわく》は違いながらも、積極的にこの場に参加したいと誰もが思っているようである。

ふと誰かの視線を感じた。

イタチは即座に目をむける。

シスイだ。

騒然とした場の空気に馴染《なじ》めないような様子《ようす》で黙りこんでいるシスイと目が合った。

微笑《ほほえ》む親友の顔に、言《い》い様《よう》のない寂《さび》しさを感じる。

一族の悪《あ》しき感情がここには渦巻《うずま》いている。

馴染めないのはイタチも一緒だった。

オレも同じ気持ちだ……。

シスイへと返した微笑みに、イタチはみずからの心を込めた。

三

忍者学校《アカデミー》を卒業して一年が過ぎようとしていた。

イタチは八歳になっている。

忍《しのび》としてのキャリアは順調。これといった厳しい任務はなく、思い返してみれば下忍《げにん》になって初めて受けた岩隠れの密偵《みってい》を始末するという任務が、一番厳しいものだと思えるほどだった。

仲間との関係は相変《あいか》わらずである。

テンマは未《いま》だに心を開かず、そんな態度にイライラしたシンコが突っかかる。それをあたふたしながら見守るユウキ。イタチは別段なんということもなく、一人その場にたたずんでいる。

いささか不自然でいびつなチームだとは思うが、それでも一年も同じことを繰《く》り返《かえ》していれば、これが常態になってくるものだ。たがいに心底から打《う》ち解《と》けることができぬままでも、なんとか穏便《おんびん》に任務をこなせているのだから、それで満足だとイタチは思っていた。

この場に長く留《とど》まっているつもりはないからだ。

キャリアを積み、中忍《ちゅうにん》、上忍《じょうにん》と駆けあがり、誰よりも優《すぐ》れた忍として、この世の争いの一切《いっさい》を根絶《こんぜつ》する。そのためにイタチは止まってなどいられない。仲間や担当上忍のことをとやかく考えて悩むよりも、自分を磨《みが》くことに心血《しんけつ》を注《そそ》いでいる。だから任務が十分すぎるくらいに順調にこなせている時点で、是《ぜ》であった。

ただひとつ納得がいかないことがあるとすれば、それはユウキが今年の中忍選抜試験にイタチを推薦《すいせん》しなかったことだ。

テンマとシンコがまだ中忍試験を受けるレベルに達していないからというのが、ユウキの言う理由だった。中忍試験の参加資格は、スリーマンセルのチームが基本となっている。中忍試験を受けられないことを知った時、イタチは珍しくユウキに詰《つ》め寄《よ》った。普段はなにを言っても暖簾《のれん》に腕押しで手応《てごた》えのないユウキが、この時ばかりは強硬な姿勢を示しイタチを跳《は》ね除《の》けた。まったく聞く耳持たぬといった様子《ようす》で、今年は駄目《だめ》だの一点張り。

イタチは諦《あきら》めるしかなかった。

中忍試験を受けなくても、上層部や上忍の推薦があれば直接中忍に昇格できるという道もある。実際、第二班の活動実績を確認すれば、イタチがどれだけチームに貢献《こうけん》しているかは一目瞭然《いちもくりょうぜん》だ。担当上忍すら凌駕《りょうが》する判断力や、忍術から格闘術まであらゆる忍の技術を高レベルで習得しているという事実が、幾度《いくど》となくチームの危機を救ってきた。

上層部からきっと声がかかる……。

そう信じてイタチは目の前の任務に邁進《まいしん》する日々を送っていた。

「戦争が終わって各国の緊張が緩《ゆる》んでいるから、各国間の往来《おうらい》は大分《だいぶ》安全になっている。だからこういう任務が下忍主体のチームに振り分けられることもある」

手にした資料に目を落としながら、ユウキが言った。イタチも同様のものを手にしている。

〝火《ひ》の国の大名《だいみょう》警護任務〟

木ノ葉隠れの里は、火の国の領内に存在している。この火の国を統治《とうち》しているのが〝大名〟であった。

木ノ葉隠れの里は、火の国の領内に存在しながらも、火影《ほかげ》を頂点とした独自の統治機構を持って半《なか》ば独立を果たしている。名目上は火の国の大名が火影の上位に位置しているが、国の軍事力は木ノ葉隠れの忍たちに頼っているという現状から、両者の関係は主従のそれというよりも対等な同盟者のごときものだった。

この火の国の大名が、年に一度木ノ葉隠れの里を訪れることになっている。

定例行事だ。大戦中も律儀《りちぎ》に行われてきた、両者にとって非常に重要な行事であった。

この大名の道中の警護を、第二班が任《まか》されたのである。

「オレたち四人で警護するんですか？」

資料を見ながらテンマが問う。

「表面上の警護はそういうことになるね。でも裏では暗部《あんぶ》のフォーマンセルが一隊、陰《かげ》から見守ることになっているし、そもそも大名には国中の忍から有能な者だけを集めた独自の警護部隊〝守護《しゆご》忍十二士《にんじゆうにし》〟がついているからね」

「私たちは形式上の警護っちゅうことやね」

「まぁ、そういうことだ」

シンコの問いにユウキはそう答えてうなずくと、言葉を連《つら》ねた。

「大戦が終わって道中が安全になってからの大名警護の任は、その年最も活躍が目覚ましかった下忍在籍のチームが選ばれることになっている。つまりこの任務は、大変名誉のあるものだということだ」

テンマとシンコの眼がいっせいにイタチにむいた。視線に気づきながらもイタチは資料に目を落としたまま黙している。

「集合は明日《あした》の朝四時。場所はあうんの正門だ。遅れるなよ」

テンマとシンコがそれぞれ返事をする。イタチも無言でうなずいた。

「それじゃあ、散《さん》！」

告げると同時にユウキが消えた。

下忍の三人だけが残される。

テンマの視線がイタチにむけられた。

「やっぱお前は里のお気に入りだな」

「そげんか言い方せんでもよかろうもんっ！」

「ちっ」

テンマが足元に唾《つば》を吐いた。

「ほんとに態度ん悪かねアンタはっ」

いつもと変わらぬ日常……。

あと何年、ここで留まっていればよいのか？

溜息《ためいき》がこぼれそうになる。が、二人の前だと思い、口から出る寸前に呑《の》みこんだ。溜息を抑《おさ》えこんだ勢いで立ちあがると、二人にむかって口を開く。

「それじゃあ明日」

言うよりも早く姿を消す。

「いつになってもお高く止まりやがって……」

立ちさる寸前、テンマの憎まれ口が、まるで木霊《こだま》のように耳に届いた。

＊

「毎年思うが、木ノ葉の里は遠いのぉ」

切株に腰をかけた老人が、手のなかの湯呑《ゆのみ》を見つめながら呟《つぶや》いた。

年のせいで皺《しわ》だらけの顔の上に、扇《おうぎ》の形の冠《かんむり》が載《の》っている。華奢《きやしや》な身体《からだ》をきらびやかな衣服で誤魔化《ごまか》しているだけのただの老人だ。

火の国の大名である。

老人の背後には豪奢《ごうしや》な駕籠《かご》が主《あるじ》の帰りを待っていた。その周囲には守護忍十二士が二人と、お付きの従者が十数名。そしてイタチら第二班の面々がいる。

火の国の都から木ノ葉隠れの里まで続く街道《かいどう》であった。すでに道程《どうてい》の半分は過ぎ、里はすぐそこまで迫《せま》っている。都近郊では平坦《へいたん》だった道も、山道の険《けわ》しさを見せはじめていた。

一行を包むのは新緑の森である。

「急ぎませんと夜までに里に着けません」

恐る恐るといった様子でユウキが言った。卑屈《ひくつ》なまでに頭を下げながら、守護忍十二士にまで気を使っている上忍の姿を、テンマとシンコが呆《あき》れ顔《がお》で眺めている。

「解《わか》っておる……」

溜息を吐《つ》いた大名は、頭の上に載った巨大な扇子《せんす》型の冠を揺らしながら、重い腰をあげた。警護についている守護忍十二士の二人がその両腕を取る。

「水無月先生」

大名たちのやり取りを背に、イタチは行く末を見つめたまま言った。

「なんだ？」

問うたユウキの目が、イタチの視線を追ったと思った瞬間、それまでの緩みを消して険しくなった。

二人の変貌《へんぼう》に、テンマとシンコも身を強張《こわば》らせる。

「大名を……」

ユウキが守護忍十二士に言った。

十二士の二人は大名を左右から抱くようにして駕籠に乗せる。

大名たち一行の前に第二班の四人が出ると、ユウキを先頭に、菱形《ひしがた》に広がった。

四人が見つめる先に、一人の男がいる。ピョンピョンと跳《は》ねるように、軽快な歩調でこちらに近づいてくる。

その様《さま》だけを見れば、別段怪《あや》しむようなことはない。

ではなぜ、四人は一様《いちよう》に警戒《けいかい》したのか？

原因は男の顔にあった。

奇抜な仮面を着《つ》けている。一面、橙色《だいだいいろ》で塗られており、そこに黒い横縞《よこじま》の模様が不規則に入っていた。その仮面の右眼のあたりに真っ黒な空洞が空《あ》いていて、視界を確保しているる。服装は、襟《えり》の開いた膝下《ひざした》まである漆黒《しっこく》のロングコート。そこに太めの白い帯をゆるめに締《し》めている。

道化《どうけ》を思わせるような格好《かっこう》であった。

忍ではない。

が……。

あの男は不吉《ふきつ》だと、イタチの勘《かん》が告げている。その緊張が仲間の三人にも伝播《でんぱ》していた。

「おい、大丈夫か？」

十二士の一人が背後から聞いてくる。

「確認しますので少々お時間を下さい」

ユウキが答えた。

その間にも男はのらくらと歩《ほ》を進めている。

男が右腕をひょいと挙げた。

「あのぉ、ちょっと聞きたいことがあるんですがよろしいでしょうか？」

やけに気の抜けた声である。あまりにも拍子抜《ひょうしぬ》けな男の声に、思わずユウキの顔がほころんだ。

「今日、この道は封鎖《ふうさ》されているんです。どうやって入っちゃいました？」

「あれ、そうだったんですか」

男が両手を大袈裟《おおげさ》に広げた。

皆の視線が男に集中している。

大気の揺れ……。

微細《びさい》なチャクラの乱れをイタチは感じた。

「水無月先生！」

叫んだが遅かった。

幻術《げんじゅつ》。

とっさに防御の姿勢を取ったイタチの目の前で、ユウキが棒立ちになっていた。

背後の気配が硬直しているのを、肌で感じる。大名や側近《そっきん》、そして守護忍十二士の二人も幻術に嵌《はま》ってしまっていた。

「ほぉ、オレの幻術を抜けるやつがいるとはな」

男の口調が変わった。さっきまでの腑《ふ》抜《ぬ》けた声色《こわいろ》から一転、知性のみなぎる口調へと変化したのである。

面に空いた空洞が、イタチを捉《とら》えた。

「しかも二人……」

「っ！」

幻術を防いだのが自分一人ではないことに、イタチは息を呑《の》んだ。そしてすぐにチャクラと気配を追う。

隣で、なにかが蠢《うごめ》いている。

「てめぇ、なにしやがった！」

テンマだ。

気づいた時にはすでにテンマは男にむかって駆けている。走るテンマの眼が、一瞬だけイタチのほうを見た。

「オレの得意分野は幻術だ。この程度の術に嵌りはしねぇ！」

「この程度とは言ってくれるじゃないか……」

男が呟いた。

笑っている……。

イタチにはそう見えた。

「こんなヤツ、二人でかかれば一瞬だ」

「テンマッ！」

呼び止める。

「彼我《ひが》の戦力を冷静に見極《みきわ》め……」

呟く男の喉元《のどもと》に、テンマが突きだすクナイが刺《さ》さった。

「客観的に状況判断をできぬ忍は……」

「ど、どうなってんだよ？」

怯《おび》えるようにテンマが言った。

無理もなかった。

テンマの腕が、男の首に吸いこまれ、後頭部から飛びでている。一見すると頭を貫通しているように見えるが、男に苦しむような素振《そぶ》りはなく、血は一滴も流れていない。まるでテンマの腕が男の身体をすり抜けているようだった。

「死ぬ」

「ギュニュッ！」

テンマは人の声とは思えない異様な音を口から発した。

身体が宙に浮いている。

支点となっているのは男の腕。

テンマの身体を腕が貫《つらぬ》いていた。

幻ではない。

その証拠《しょうこ》に、テンマの胴からは夥《おびただ》しい鮮血が、滝のように流れだしていた。ビクンビクンと小さな痙攣《けいれん》を繰り返していたテンマが、次第《しだい》に静かになってゆき、ついには完全に動かなくなる。

「無謀《むぼう》な突出によって功《こう》を得ようとする者は早死にする。それが忍の世の現実だ」

男が虚空《こくう》を見つめるテンマの瞳《ひとみ》を見た。

「いまさら教えられても、もう遅いか……」

告げると同時に、男がテンマを貫く腕を思いっきり振った。その拍子に骸《むくろ》が腕を離れ、地面に叩《たた》きつけられる。

「やはりお前は墜《お》ちなかったか……。しかもこのガキのように愚《おろ》かな突出もせず、オレと自分の力量を冷静に見極めようとした。見事だ、うちはイタチ」

「どうしてオレの名を……」

「うちはのことはなにもかも知っているつもりだ」

仮面の男がそれまでの飄々《ひょうひょう》とした足取りから一転、素早い歩調でイタチに近づいてくる。その足さばきは忍のそれを思わせた。

「オレの目当ては、そこの老人の命だ。このままおとなしく見ていてくれるというのなら、お前の命は助けてやろう」

「オレは木ノ葉の忍だ……」

締《し》めつけられるような圧力を感じる。その喉《のど》を必死に開きながら、イタチは懸命に言葉を吐いた。

蛇《へび》に睨《にら》まれた蛙《かえる》のように、身体が思うように動かない。男の無言の圧力のせいなのか。自分と相手の力量の差を感じた本能が抗《あらが》うことを拒《こば》んでいるのか。それとも男の身体に起こった不可思議な現象を必死に分析しようとして、全身の血が頭に集まってしまっているのか。

いずれにせよ身体が動かないことに間違いはなかった。

みずからが置かれている状況に、明確な答えを出せない……。

こんなことは生まれて初めての経験だった。

仮面の男が隣に並ぶ。大名へと近づくその途中で、イタチの隣で立ち止まったという感じだった。

「さっきの言葉を、もう一度言ってくれるか」

首を傾《かし》げる男にイタチは掠《かす》れる声で言葉を紡《つむ》ぐ。

「オレは木ノ葉の忍だ」

「それは死にたいという意思表示か?」

死ぬ……。

漠然《ばくぜん》と思った。

「お前はいい忍になれる。ここで死に急ぐ必要もない。それでも死にたいと言うのなら無理に止めはしないが」

動け……。

自分の身体に命じる。

「くっ!」

呻《うめ》くような声がイタチの口から漏《も》れると同時に、なんとか右腕だけが動いた。クナイすら握っていない右手で、仮面を殴《なぐ》りつける。

テンマの時同様、拳《こぶし》が顔をすり抜け背後に飛びだした。たしかに目の前にあるはずなのに、一切の感触がない。

もしかしたら男の幻術にすでに嵌ってしまっているのではないのかという疑念が、イタチの心に渦巻《うずま》く。

「そうか死にたいか……」

男の腕がイタチにむかって振り下ろされる。

顔の前まで来た掌《てのひら》が止まった。

そのままの格好で、男が木々に覆《おお》われた上空を見つめる。

「あのチャクラは」

呟いている。

「はたけカカシ……」

虚空《こくう》にむけられていた男の顔が、イタチへと降りてくる。

「命拾《いのちびろ》いをしたな、うちはイタチ」

仮面が揺れた。

そう思った次の瞬間、信じられないことが起こった。

仮面に空いた穴にむかって男が吸いこまれてゆく。栓《せん》を抜いた風呂の水のように、みるみるうちに黒い身体が一点に収縮するように虚空に吸いこまれ、最後には仮面の穴まで消えた。

呆然《ぼうぜん》と立《た》ち尽《つ》くすイタチの上空から、人影が四つ降りてくる。

顔に動物の面をしていた。

暗部。

火影直属のエリート集団である。

「大丈夫か!?」

四人のなかで一番背の低い男が、イタチの肩を揺する。

狐《きつね》の面を着けた灰色の髪をした少年だった。

「おい！　なにがあった？」

他の三人が大名たちの幻術を解いて回っている。目覚めた大名が、テンマの死体を見つけて悲鳴をあげた。

「いきなりの幻術でオレ以外が嵌ってしまい、解術に手間取ってしまった。遅れてすまない」

狐面の少年が語るのをイタチは呆然《ぼうぜん》と眺めていた。

「はたけカカシ……」

「なぜその名前を？」

少年が問う。

目の前の彼がカカシなのだと、イタチは直感的に思った。

＊

身体を包む布団《ふとん》の温《ぬく》もりを感じてもなお、震えが止まらなかった。

男の襲撃が遠い日の記憶のように思える。

でも、あれはまだ数時間前の出来事。

非常事態ということで大名はその日のうちに火の国に戻り、訪問は延期となった。暗部とユウキからの報告を受けた火影たち首脳陣は、イタチからの報告は後日に行うと決定。

イタチは里に帰るとすぐに家に戻された。

が、なにをする気にもなれない。

晩飯《ばんめし》を食べる気にもなれず、そのまま布団に入った。まだ宵《よい》の口《くち》。サスケすら起きている。

一人布団に包《くる》まり、しきりに起こる震えに耐えていた。

心にあったのは、己《おのれ》への失望。

テンマが死んだ。

目の前で。

助けることができたのは、自分だけ。

なのに……。

なにもできなかった。

「イタチは大丈夫か？」

襖《ふすま》のむこうから、帰宅したばかりの父の声が聞こえてくる。

「食事も残して、そのまま部屋に入って寝ているわ」

「アイツも一人前の忍だ。仲間の死を目《ま》の当《あ》たりにすることもある」

「でも、あの子はまだ八歳なのよ。本当ならば忍者学校《アカデミー》で友達と遊んでいる頃だというのに……」

「それだけアイツが優秀だということだ。里に目をかけられているからこそ、こうして大名警護という任務につくことができる。重要な任務であるからこそ、危険な経験もする。そうして修羅場《しゅらば》を幾度も潜《くぐ》って、忍は一人前になる」

布団の温もりをすり抜けて、父の言葉がイタチの心に突き刺さる。

未熟……。

まだ足《た》りない。

足りないから仲間が死んだ。

足りないからこその父の言葉。

もっと力が欲しい。

あの男を倒すほどの力。

「あの子を警務部隊に入れて、アナタの元で働かせる訳《わけ》にはいかないの?」

「アイツは警務部隊には入《い》れん」

父の言葉が胸を抉《えぐ》る。

「アイツの行く末についてはオレも考えている。それを実現させるためにも、いまはまだ下忍として働かせる」

「でも、あの子は……」

「大丈夫だ、アイツはきっと乗り越える」

父の声から逃《のが》れるように、布団を力一杯握りこむ。

「くうぅっ!」

堪《た》え難《がた》い感情が、苦悶《くもん》の呻《うめ》きとなって口から溢《あふ》れでた。

がくがくと身体が震える。

怖いから震えている訳ではない。どうしようもない自分への怒《いか》りが、身体を震わせる。

無力感、敗北感、虚無感、失望感。己に対するあらゆる感情が、身中《しんちゅう》を駆《か》け巡《めぐ》りイタチを震わせるのだ。
力が欲しい。
仲間を守る程度では足りない。
父を安心させるほどでもいけない。
もっと、もっと……。
あの仮面の男すら凌駕する。
いやこの世のありとあらゆる者を凌駕するほどの力だ。
そしてすべての争いの芽《め》を、この手で摘《つ》んでゆく。
強く閉じた瞼《まぶた》の奥に熱いものを感じる。
涙ではない。
もっと熱いなにかだ。

ドクン……。

首の付け根のあたりが大きく脈打った。
火のように熱いものが身体中を駆け巡り、いま脈打ったあたりに集約されると、そこから一気に眼球へと流れこんだ。

その時になってイタチは初めて、燃え盛る力の根源がチャクラであることに気づいた。うちは一族に生まれた者は、火の属性を持つチャクラをまとう。だがこれほどの熱量のチャクラを感じたことは、これまでの人生で一度もない。しかしイタチは、自分の身になにが起ころうとしているのかを、冷静に判断している。

瞼を閉じたまま布団から上半身を出し、身体を起こす。

布団の上に座り、ゆっくりと瞼を開いていく。

開眼……。

景色が紅《あか》く染まっている。

これまで見てきた風景とはなにもかもが違っていた。

襖のむこうに大小三つの焔《ほのお》が揺れている。

父と母、そしてサスケの命だ。

焔にむかって焦点を絞《しぼ》っていく。

襖が薄れ、隣の部屋がはっきりと見渡せた。

紅《くれない》に染まった景色のなかに三人がいた。このまま目を凝《こ》らして集中していけば、皆の心の動きすらも見えるような気がした。

眩暈《めまい》……。

チャクラを浪費した。

瞼を閉じて深呼吸をする。

ゆっくりと目を開くと、すでに景色は元通りに戻っていた。

「写輪眼《しゃりんがん》……」

仮面の男を思いだす。

異様な面に空いていた小さな空洞のむこうに目が見えた。紅の瞳に浮かんでいた三つの勾玉《まがたま》を、イタチははっきり覚えている。

「今度は負けない」

呟いたイタチの瞳がふたたび紅に染まった。

四

さっきから空にむかってぶんぶんとクナイを振りまわす男の背に、イタチはそっと手を添《そ》えた。

「気が済《す》んだか？」

囁《ささや》いたイタチの声で夢から覚めたのか、男が一度激しく肩を上下させ、全身で振り返った。

「さっきからお前が必死になって斬《き》ろうとしていたのは、オレの幻影だ」

「な、なんだと……」

「もう一度夢を見てみるか？」

イタチの両目が紅《くれない》に染まる。

「ひっ、ひぃっ！」

写輪眼《しゃりんがん》を見た瞬間、男がクナイを放《ほう》ってうずくまった。

「かっ、勘弁《かんべん》してくれぇっ」

涙を流して哀願《あいがん》する男を見下ろすイタチの瞳《ひとみ》が黒くなる。

「イタチ！」

背後から声がした。

ユウキだ。その後から二人の忍《しのび》がついてくる。新《あら》たに第二班に加わった者たちだ。

テンマが死んだ後、シンコは非情な忍の世界の現実に心が折れた。そして忍の資格を放《ほう》棄《き》し、いまは里の茶店で働いている。

新たに加わった忍はいずれも今年忍者学校《アカデミー》を卒業した者たちだった。在学中は先輩にあたったが、忍としてはイタチのほうが一年先輩ということになる。

「捕《とら》えたか？」

「ええ」

ユウキに答えてから、イタチはうずくまる男に視線を戻した。安堵《あんど》の表情を浮かべる新人二人を引き連れ、ユウキが男の前に立つ。

「忍になりたかったからって、里に入りこんで経歴を詐称《さしょう》しちゃ駄目《だめ》ですよ。そんなことしても、忍になんてなれないんですから」

「す、すみません」

「ちなみにこの子はまだ九歳なんです。こういう子がゴロゴロしているのが、忍の世界なんですよ」

ユウキの言葉に男がギョッと目を見開いた。

火の国の住人が、里に紛《まぎ》れこんで忍になろうとしている。この男の確保と、忍への恐怖を植えつけること。

それが今回の任務だった。

もちろんランクは最低のＤランクである。

新人の二人に合わせた任務だから仕方がない話だった。が、やはりどこかで納得がいかない。

Dランクの任務ばかりをこなしはじめてすでに三か月あまりが過ぎていた。

こんなことをしている暇があるのかという切迫した思いがイタチを焦《あせ》らせる。こういう任務で写輪眼に慣れるための修練をしていることさえ馬鹿らしく思えた。

「さすがイタチ先輩ですね！」

新人の女の子が嬉々《きき》とした声で語る。歳《とし》は四つも上なのに、イタチのことを先輩と呼ぶ。

名前はヒムカ。

あまり印象に残らない顔をしている。

もう一人は男だ。

第二班の仲間となって三か月。一度も喋《しゃべ》るところを見たことがない。

名前はヨウジ。

油女《あぶらめ》一族だということだが、虫を使ったところもこれまで見たことがなかった。

「じゃあ、里に戻ろうか」

ユウキの明るい声が、イタチの心をいっそう重くさせた。

＊

「ふぅ！」

覇気《はき》に満ちた息を吐くと、シスイはイタチのほうを見て笑った。

「やっぱりお前との修練は身が入るぜ」

快活に語る友を見て、イタチは汗みずくになりながら心身が充実しているのを感じていた。

任務での鬱憤《うっぷん》を晴らすような苛烈《かれつ》な組手を、かれこれ三時間ほど続けている。休憩は決着がついた後の三分ほど、すでに十五本を消化していた。

戦績はイタチが六勝、シスイが九勝である。

写輪眼を使用しなければ、後はなにをやってもよいというルール。

写輪眼はチャクラの消耗《しょうもう》が大きい。できるだけ長い時間組手を行いたいからという理由からの、使用禁止であった。

投げた手裏剣《しゅりけん》が虚空《こくう》で激突し、あらぬほうへと飛んでいく。その行く先などイタチもシスイも眺めてなどいない。すでに相手にむかって飛翔《ひしょう》し、間合いを詰《つ》めている。

「ちぃっ！」

「はっ！」

二人の気合が混ざり合う。

中空でぶつかり合う身体《からだ》が、もつれ合うようにして地面に激突した。

いち早く体勢を整《ととの》えたシスイが、片膝《かたひざ》立ちのイタチへ蹴《け》りを放つ。

とっさに右腕を差しだし防ぐ。

蹴りの衝撃で揺れるイタチの視界に、素早《すばや》く印《いん》を結ぶ友の姿があった。

「火遁《かとん》、豪火球《ごうかきゅう》の術！」

叫んだシスイの口から巨大な火の玉が吐きだされた。

自分にむかって飛んでくる焔《ほのお》を見つめるイタチの唇《くちびる》が笑《え》みを象《かたど》る。

さすがシスイ……。

心が躍《おど》る。

これほど巨大な豪火球を放《はな》てる者は、一族のなかでも父かシスイくらいのものだろうと、イタチは心でほくそ笑む。

いまからでは反撃は間に合わない。

防御も遅い。

直撃。

「ウソだろ！」

シスイが思わずといった様子《ようす》で叫んだ。

豪火球を受けたイタチが無数に裂け、夥《おびただ》しい数の烏《からす》に変じ、いっせいに襲いかかったのである。

変わり身の術。

本当のイタチは背後に回っている。

気配を察したシスイが振りむくより早く、クナイを首筋《くびすじ》に当てた。

「勝負ありか」

悔《くや》しそうにシスイが呟《つぶや》いた。


結局組手は三十五本行った。

結果はイタチの十一勝、シスイの二十四勝。

「もうお前は下忍《げにん》の器《うつわ》じゃないな」

水筒《すいとう》の水を飲《の》み干《ほ》し、シスイが言った。

「今年の中忍《ちゅうにん》試験も見送りが決まったんだろ?」

「あぁ」

答えたイタチは水筒を傾け、冷たい水を口中に含んだ。

「担当上忍《じょうにん》は水無月ユウキとか言ったな」

無言のままイタチはうなずく。

「お前に嫉妬《しっと》してるんじゃないのか？　お前の才能がうとましくて、中忍試験に推薦《すいせん》するのを見送ってるんじゃないのか」

「そんなこと、考えてもしょうがないだろ」

ユウキがなにを思いイタチを推薦しなかったのかなど、考えたところで無意味である。

今年もまた、イタチは中忍試験を受けることができなかった。それが現実なのだ。

「だってお前はもう十分に……」

「その話はよそう」

これ以上続けていても悔《くや》しさが募《つの》るだけだ。

「そういやお前、うちはイズミって娘とはどうなってんだ？」

無理矢理に話題を変えたシスイを、イタチは目を丸くして見つめた。

「普段はなに考えているのか解《わか》り難《にく》いくせに、こういうことは解りやすいんだな」

「どういう意味だ」

「鏡で自分の顔を見てみろよ」

そう言って悪戯《いたずら》な笑みを浮かべるシスイから、目を逸《そ》らす。

「別になんとも思っていない」

「それにしちゃ、オレが〝イズミ〟って名前出した瞬間、お前はやけに意識してたみたいだがな」

意識……。

していたのだろうか？

イズミが数少ない友人の一人だということは間違いなかった。ただそれだけのような気もするし、こうして改めてシスイに追及されると、違うような気もする。だからといって恋愛感情のようなものを持っているという訳《わけ》でもなさそうだった。

要《よう》は自分でもよく解らないのだ。

「それよりお前のお父上の具合はどうなんだ？」

「話を逸らしたな」

切り返したイタチに、シスイがにやけ面《づら》で言った。

「相変《あいか》わらずさ」

明るかった表情を少しだけ曇《くも》らせながらシスイが答えた。

彼の父は、先の大戦で片足を失い、その傷が元で病《やまい》を得ていまは寝たきりである。シスイは父と母との三人暮らし。家計はシスイの働きで支《ささ》えられていた。

「最近はめっきり弱ってしまって、オレのことすら判《わか》らなくなってきている」

「そうか……」

「まぁ、人間いつかは死ぬんだ。覚悟はできてるさ」

　シスイの悲しい決意を前に、イタチはかける言葉を見つけられずにいた。

＊

「今年の中忍試験の面子《めんつ》を見たが、またうちはイタチは入っていないようだな」

　火影《ほかげ》の椅子《いす》に座るヒルゼンを前に、ダンゾウは唐突《とうとつ》に切りだした。

　机の上に並べられた資料に目を落としていたヒルゼンが、不思議なものを見るようにダンゾウへと視線をむけた。

「そう言えばイタチの卒業の時、お前はわざわざ声をかけたそうではないか」

「忍者学校《アカデミー》創設以来最高の卒業生の顔を拝《おが》んでおきたいと思ってな」

「お前がうちは一族の人間にこれほど執着《しゅうちゃく》するとはな……」

「見どころのある者に何年も無駄《むだ》な時を過ごさせておるのは、里にとっても損失だ」

「しかし担当上忍の推薦がなければ試験は受けることができん」

　眉《まゆ》をしかめるヒルゼンを前に、ダンゾウの口の端《はし》が急な角度で吊《つ》りあがる。

「イタチの担当上忍の水無月ユウキは、上忍のなかでは中の下。イタチの実力を妬《ねた》んでおるのだろう」

「ユウキはそんな男では……」

「そんな男だ」

ヒルゼンの言葉を叩《たた》き落《お》とすようにダンゾウは言いきった。

「お前は知らないだろうが、あの男はこれまでに何度も、自分より実力のある下忍たちを忍者学校《アカデミー》に戻している。今回それができなかったのは、イタチがあまりにも優秀すぎて、里中に名前が知れ渡っていたせいだ」

「そんなバカな……」

「あの男は普段は見せぬが、心の奥底に暗い性根《しようね》を持っている」

根《ね》の者による調べはついていた。

ダンゾウ直属の暗部《あんぶ》養成機関である〝根〟は、里の内部に莫大《ばくだい》な諜報《ちようほう》の網《あみ》を張《は》り巡《めぐ》らしている。里のあらゆる忍の思想や哲学、そしてどのような思考傾向にあるのか。すべて丹念に調べあげている。

それもこれもすべては里の安寧《あんねい》のためだ。

うちは一族の木ノ葉警務部隊が里の表の治安《ちあん》を守る警察組織であるならば、根は里の闇《やみ》に潜《ひそ》んで地の底から治安《ちあん》を守る秘密警察のごときものだった。闇《やみ》をもって平穏《へいおん》を守るというダンゾウの理念を純粋に継承する根は、火影直属の暗部よりもその色あいがかなり強い。

つまり警務部隊と根は表裏一体《ひょうりいったい》の存在なのである。

深い溜息《ためいき》を吐《つ》いたヒルゼンが、重い口を開く。

「ユウキが推薦をせぬのなら、上層部判断によりイタチを中忍に昇格させてもよい」

「試験を受けさせたほうが里のためになる」

「ん？」

煙管《きせる》を口にするヒルゼンを見つめながら、ダンゾウは続けた。

「中忍試験は各国の首脳陣が一堂に会する場だ。言わば各国の将来の軍事力を誇示《こじ》する機会。そこでイタチの力を存分に見せつければ、各国に対する我が里の脅威《きょうい》はより強まるというものだ」

「たしかにイタチは優秀な忍だが、そこまでの力があるのか」

ヒルゼンは任務実績という表の評価しか見ていない。だからそのような判断になる。

「自分より劣《おと》った上官と同僚に合わせた任務では真の実力など判《わか》るはずもない。これ以上イタチを野に埋もれさせていることは、里にとって取り返しがつかぬほどの損失となる」

「お前がそこまでうちは一族を買うとはな」

「イタチという男はそれだけの価値のある男だ」

ダンゾウの本心をヒルゼンは知らない。裏があることくらいは知覚しているかもしれないが、それがいったいなんなのかまでは、さすがのヒルゼンでも絶対に気づきはしないだろう。

うちはイタチ。

己《おのれ》の悲願を叶《かな》えるのはこの男しかいないと、ダンゾウは思っている。

木ノ葉とうちは。

里創設から続く因縁《いんねん》を断《た》つ切り札。

それがイタチだ。

どうやって手駒《てごま》に迎えるか……。

それが問題だった。

*

「ただいま」

「おかえり兄さん！」

靴を脱ぐイタチの背中に、小さな手が抱きついた。

「今日の任務は終わったの？」

「あぁ」

廊下に立ち、四歳になった弟の頭を撫《な》でる。

「疲れた？」

一人前に話ができるようになった弟は、兄と話がしたくて仕方がない様子《ようす》だ。兄弟二人の部屋へと続く廊下を進む兄の後ろを、大股《おおまた》でついてくる。

〝サスケはアナタが家を出てからずうっと、お兄さんの帰りを待ってるのよ〟

母からそう聞かされた時、気恥ずかしくもあり嬉《うれ》しくもあり、なんとも面映《おもは》ゆい心地《ここち》がした。

「オレも任務に行きたい！」

「お前には、まだ早いなぁ」

そう言って笑いながらイタチは、廊下を歩く。

すっと目の前の障子《しょうじ》が開いた。

父の部屋だ。

「帰ったか」

「はい」

仏頂面《ぶっちょうづら》の父が部屋を出てイタチの前に立った。

「今日、火影様に呼ばれてお前の話になった」

「オレの？」

「来年の中忍試験に上層部推薦ということでお前の参加が決まった。ただし今回、お前はスリーマンセルではなく単独での参加ということになる。他の受験者たちは小隊単位。当然お前は厳しい状況に置かれることになる。だが……」

父が一度目を閉じてうつむき、顔をあげてからイタチを正面から見た。

「火影様にはオレのほうから参加すると答えておいた」

「あ、ありがとう……」

どれだけ納得させようと思っても、拭《ぬぐ》いきれない失意に堪《た》えつづける日々がやっと終わる。あと何年あのメンバーで下忍を続けなければいけないのかと思っていた。重い雲に覆《おお》われていた心が、晴れ渡っていくのが自分でもわかる。

「担当上忍ではなく里の上層部が直々《じきじき》にお前を推薦したんだ。しっかりやれよ」

「はい」

「ねぇ父さん、兄さんがどうしたの？」

会話に参加しようと、サスケが二人の間に割って入って父を見上げた。

「お前も早く、兄さんみたいな忍になれ」

言いながらサスケの両脇《りょうわき》に手を当てて、フガクが抱きあげた。父の顔の前でサスケの笑顔が揺れている。

「うんっ！」

「いい子だ」

サスケの無垢《むく》な笑顔につられ、父の顔にも笑みが浮かぶ。そのまま弟を見つめながら、フガクは言葉を吐いた。

「お前の中忍試験参加を強く望んだのは志村《しむら》ダンゾウだそうだ」

志村ダンゾウ……。

イタチは卒業の日に見た陰気な顔を思いだした。

「お前、暗部をどう思う？」

言った父の声は、明るい笑顔には似つかわしくない暗さがあった。

「そろそろご飯《はん》ですよ」

廊下のむこうから母の声が聞こえてきた。

「まずは中忍試験だ。本来の自分の力さえ出せれば、お前なら問題なく通過できる。話はそれからだ」

暗部。

話はそれから。

不吉《ふきつ》な言葉を残し、父は弟を抱いたまま母の待つ食卓へと消えてゆく。

未来へと伸びる道の先に見える光と闇《やみ》。その両者の眩《まぶ》しいほどの鮮《あざ》やかさが、一人残されたイタチの心を翻弄《ほんろう》していた。

第参章

濡羽色の烏、月夜に蠢く同胞の嘆きに身震いす

一

筆記試験などイタチにとっては造作《ぞうさ》もなかった。

試験官に見つからずに忍術を駆使してカンニングを行うという今回の一次試験の趣旨《しゅし》など、開始と同時に見抜いている。

記憶の良さには自信があった。

幼い頃から忍術修業の合間に多くの本を読んだ。忍者学校《アカデミー》時代も下忍《げにん》になってからもその習慣は変わらない。

六道仙人《りくどうせんにん》から続く忍《しのび》の歴史。各国間の同盟、条約、統一法規。戦闘における基礎、高等、応用戦術。忍術体系、血継限界《けつけいげんかい》論。チャクラ概論《がいろん》。尾獣《びじゅう》、忍獣体系。仙界《せんかい》と自然エネルギーの基礎概論《がいろん》。その他多くの文献、書籍、論文類。

ありとあらゆる知識をイタチの頭脳は完全に収めている。

よって、カンニングなど必要なかった。

文武のバランス。

それはイタチの思い描く理想の忍にとって、最も重要な要素であった。

優《すぐ》れた身体能力は、明晰《めいせき》な頭脳があって初めてその能力を十二分に発揮できるのだ。どれだけ忍術に長《た》けた身体《からだ》を持っていても、的確な判断ができなければしくじりを招く。そして、忍の世界のしくじりは死に直結する。

イタチの脳裏《のうり》に仮面の男に殺されたテンマの死に顔が蘇《よみがえ》った。

おぞましい幻影を振り払うように、鉛筆を滑《すべ》らせる。

すでに答案用紙は九割埋められている。

カンニングを見咎《みとが》められた者が次々と退席を命じられているなか、テストを終えたイタチは受験者たちを観察していた。

誰がどのようなカンニングをしているのか?

顔を動かさずに四方八方のチャクラを追う。

対象者の心に入りこんでいる者や、手の動きを観察している者。鉛筆と紙が擦《こす》れる音で答えをトレースしている者もいた。

それぞれが最も得意とする術でカンニングを行っている。誰がどういう系統の術を使うのかを、イタチは冷静に判別していた。

この場にいる者たちは皆、ライバルなのだ。

相手の手《て》の裡《うち》を知っておけば、闘《たたか》うことになった時も状況を有利に運ぶことができる。

皆は三人一組。

イタチは一人。

この先の試験内容によっては、三対一という状況になることも当然考えられる。イタチには仲間はいない。不利な状況を覆《くつがえ》すために、いまから敵の情報を仕入れておくのも大事な戦いだった。

「ここまで！」

一次試験の担当官が叫んだ。

「筆記はここまで。この場に残れた者は二次試験の会場にむかえ。一次試験の結果は二次試験終了後に発表する」

「はい！」

一人の受験者が手を挙《あ》げる。担当官が発言を許す意を込め、うなずいた。

「ということは二次試験を通過しても、一次試験の成績如何《いかん》では三次試験に進めないということですか？」

「そういうことになるな」

受験者がいっせいに騒ぎはじめた。

「黙れっ」

担当官が怒鳴《どな》った。

「お前たちはこれから中忍《ちゅうにん》になろうという者たちだ。中忍ともなればチームを率《ひき》いる立場になる。任務はすぐに結果が出るものばかりではない。ひとつの結果を待ちながら、目の前の仕事に全神経を傾けるというケースも往々にして存在する。お前たちはこの時間、全力を尽《つ》くしたはずだ。ならば自分の力を信じ二次試験を全力で戦え」

上忍《じょうにん》の気迫の一喝《いっかつ》に、受験者たちは言葉を失った。

「さぁ二次試験だ」

担当官の言葉を耳に、イタチは席を立った。

*

「三人で囲《かこ》めば訳《わけ》ねぇぜ」

にやついた顔で語る男を前に、イタチは手にした巻物に目を落とした。

第44演習場、通称〝死《し》の森《もり》〟と呼ばれる地に、中忍を目指《めざ》す者たちが散らばっている。

イタチの手にある巻物には《天》という一文字が墨書《ぼくしょ》の雄々《おお》しい書体で記《しる》されていた。

「中忍試験を一人で受験するなんざ、自殺行為だぜ」

さっきとは違う男の声が、背後から浴びせかけられる。さらにもう一人、女の笑い声が、耳障《みみざわ》りなほどに甲高《かんだか》い。

正三角形の形に広がった三人の忍が、イタチを囲んでいた。

額《ひたい》には霧隠《きりがく》れの里の額当てを着けている。

イタチは自分の目の前に立つ一番威勢のよさそうな男のほうを見た。歳《とし》の頃は十五、六。どうやらこの男がリーダーらしい。

「おとなしく巻物を渡せば、殺さずにおいてやる。が、抵抗する気ならどうなるか解《わか》ったもんじゃねぇぞ」

この男はイタチの手にした物と対《つい》になる巻物を所持している。そこには《地》と記されているはず。

天と地の巻物を揃《そろ》えて演習場の中央にある塔に辿《たど》り着《つ》くのが、第二の試験のゴールだった。受験者たちはスリーマンセルの小隊ごとに天か地の巻物をひとつだけ渡され、演習場に散らばる。そして、どこかにいるであろうもう一方の巻物の持ち主からそれを奪《うば》うのだ。天地の巻物を揃えた後、今度は人を喰《く》う猛獣や、毒虫など各種様々な危険生物が潜《ひそ》む死の森を、中央に建つ塔まで駆け抜けなければならない。

期限は五日間。

つまりそれだけの時間を要する試験であるということだ。

初日、いきなりイタチは敵の襲撃を受けた。

目の前の霧隠れの忍たちだ。

イタチは片割れの巻物を探すような愚行《ぐこう》は冒《おか》さず、塔にむかって真《ま》っ直《す》ぐに進んでいた。自分が地の巻物を欲しているように、相手も天の巻物を欲している。塔にむかって進んでいれば、必ず相手のほうから飛びこんでくるはず。

目論見《もくろみ》通りだった。

すでに霧隠れの忍たちは、イタチが天の巻物を所持していることを確認済《ず》みだ。そのためにイタチは巻物をわざとひけらかすようにして塔までの道中を歩いていたのだ。

罠《わな》にかかったのはこの三人だった。

「さぁ、一対三だ。おとなしく……」

「この試験の受験資格にはスリーマンセルの小隊単位での参加という項目がある」

目の前の男の言葉を断《た》ちきってイタチは語りはじめた。

「ならば、なぜオレはこうして一人で歩いている？」

「仲間に見捨てられでもしたんじゃないの」

左方から女の茶化すような声があがった。つられるように背後の男が笑う。

顔をわずかに女のほうにむけ、イタチは問うた。

「残りの二人を伏兵《ふくへい》として潜ませている。そのくらいの予測はできないのか？」

油断《ゆだん》の笑《え》みを浮かべていた女の顔からすっと血《ち》の気《け》が引いた。

「安心しろ。オレはもともと一人だ」

言ってふたたびリーダーに視線を戻す。

「一対三という状況から自隊の有利という結論しか導《みちび》きだせなかったお前は、リーダーとしても中忍としても失格だ」

「な、生意気《なまいき》なことばっかり言っていると……」

「それにオレの見た目の幼さまでも油断の材料としている」

「おいキルル、さっさと殺《や》っちまおうぜ」

背後の男が不安そうな声でリーダーの名を呼んだ。キルルと呼ばれたリーダーは、額から汗を流しながら大きな唾《つば》の塊《かたまり》をゴクリと呑《の》みこむ。

「どうして一人でこの場にいることに違和感を覚えない？　どうして一人で受験資格を得たという可能性に思考がいかない？　そしてスリーマンセルが基本のこの試験を一人で受

験するという事実の背後にある意味を考えない？」

「キルルッ！」

　今度は女だ。

　三人は得体《えたい》の知れない恐怖に我を失いはじめている。

「やっ、やっちまえ！」

　キルルの悲鳴じみた叫びと同時に、三方からイタチにむかって手裏剣《しゅりけん》が放《はな》たれた。次の瞬間には、イタチの正面にいたリーダーと背後にいた男が駆けだしている。そして女は、イタチの頭上を目指して飛んでいた。

　地上は前後から挟《はさ》み撃《う》ちにし、上空に逃げると女が捕える。

『三人小隊《スリーマンセル》の基本戦術体系　〝初手《しょて》の章　第三項〟』

　あまりにも稚拙《ちせつ》な戦術である。

　イタチは動かない。

　まず三人が放った手裏剣がイタチを貫《つらぬ》いた。

　無数の手裏剣が、身体のいたるところに突き立つ。

　間《ま》を置かずに今度は前後から駆けてきた二人の男が挟みこむようにしてクナイで腹と背中を抉《えぐ》った。

イタチの口から血飛沫《ちしぶき》がほとばしる。

それを見極《みきわ》めるような暇は二人の男にはなかった。クナイを引き抜くと同時に、半歩後方に下がってイタチから離れる。直後、空から降ってきた女がイタチの肩に乗って脳天から小刀を刺しこむ。

「やったわ！」

嬉《うれ》しそうに女が叫ぶ。

刹那《せつな》。

イタチが弾《はじ》けた。

四方八方に飛び散る黒い破片のひとつひとつが烏《からす》に変じる。カァカァとけたたましい鳴き声をあげながら、三人の頭を突きはじめた。

あまりにも滑稽《こっけい》な敵のやられぶりを、イタチは付近にある一際《ひときわ》高い木の上から眺めている。そしてひとしきり両腕で顔をかばいながら烏を追い払おうと必死になる三人を見守ってから、彼らの前に降り立った。

「解《かい》！」

イタチの声と同時に、烏が消える。なにが起こったのか解らず呆然《ぼうぜん》としている三人の眼が、いっせいにイタチの姿を見つけた。

「おとなしく巻物を渡せ。そうすればこのまま見逃《みのが》がしてやる」

イタチはリーダーにむかって手を差しだした。

「な、舐《な》めるな」

つぶやくキルルが腰を落として印《いん》を結びはじめた。左右に広がる男女二人の仲間も同様に印を結ぶ。

「いいか、水身連携《すいしんれんけい》だ」

「解った」

二人がリーダーの言葉に答える。

「水遁《すいとん》っ！」

キルルが叫んだのはそこまでだった。

唐突《とうとつ》に目の前に現出した焔《ほのお》の壁に度肝《どぎも》を抜かれた三人は、みずからの術を発動するきっかけさえ忘れている。

三人が印を結ぶ三倍ものスピードでイタチは火遁《かとん》、豪火球《ごうかきゅう》の術を発動させた。

第一の試験中、そして第二の試験が始まってからずっと溜《た》めていたチャクラである。三人の視界は、一瞬にして焔で覆《おお》い尽《つ》くされたはずだ。

三人を直撃するギリギリの間合いに調節して放った焔である。威嚇《いかく》以上の意味はない。

これは試験だ。

殺す必要も傷つけることもない。

相手の心さえ折ってしまえばそれでいい。

焔が天に舞いあがって消えた。

腰を抜かさんばかりに足をガクガクと震わせながら、三人がなんとか立っている。イタチを見つめる目には、うっすらと涙がにじんでいた。

三人にむかって間合いを詰める。

「まだやるというのなら、オレは構《かま》わない。だがそうなると今度は本当の奥の手を出さなければならなくなる」

「え？」

泣きだしそうになりながら問い返してくるキルルを見つめながら、眼球へとチャクラを集中させてゆく。

視界が紅《あか》く染まり、目の前の三人の身体に流れるチャクラの波動がぼんやりと浮きあがりはじめた。

「しゃ、写輪眼《しゃりんがん》だ……」

キルルの側《そば》で男の忍が呟《つぶや》く。それを聞くと、気の強いキルルの目から涙が零《こぼ》れはじめた。

「この眼を見たことがあるかどうかは知らないが、忍ならばこの眼のことは知っているはずだ」

女が尖《とが》った顎《あご》を何度も上下させた。三人が三人とも死の恐怖に完全に支配されている。

「お前たちの術はオレには効《き》かない」

「かっ、勘弁《かんべん》してくれぇぇぇ！」

キルルが額を地面に叩《たた》きつけて謝《あやま》る。震える手を懐《ふところ》に入れて、なにかを探していた。しばらく黙ったままイタチが眺めていると、キルルが地と記された巻物を差しだす。

「解ってくれればそれでいい」

巻物を受け取る。

イタチはわずかに足先にチャクラを巡《めぐ》らした。

瞬足。

素早《すばや》くキルルの後ろに回り、手刀《しゅとう》を首筋《くびすじ》に落とした。

「背後から襲われる訳にはいかない。ここでしばらく眠っていてくれ」

顔から地面に突《つ》っ伏《ぷ》すようにして倒れるキルルを見もせず、素早く男女二人の背後に回ると同様に手刀を打ちこんだ。

天地ふたつの巻物が揃った。

後は演習場の中央にある塔を目指すだけである。

＊

「二次試験ノ通過時間ハ五時間三十七分。コレマデ第44演習場デ行ワレタ試験ニオケル最短記録トナリマス」

白虎《びやっこ》の面を着けた暗部《あんぶ》の妙に硬質な声を聞きながら、ダンゾウは微笑を浮かべた。

「小隊編成ガ基本ノ試験トイウコトモ考慮スレバ、コノ記録ハ驚異的デアリマス」

「忍者学校《アカデミー》を一年で卒業するということはそういうことだ。ヤツならば別に不思議なことではない」

うなずく虎の面を尻目《しりめ》に、ダンゾウは椅子《いす》から立ちあがった。

「三次試験が始まる頃合いだ。そろそろ行かねばな」

「ソレニツキマシテ、ヒトツ報告ガゴザイマス」

歩きだそうと足を踏みだしていたダンゾウを男が止めた。

「なんだ?」

「一回戦デ、相手ヲスルハズデアッタ我ガ里ノ下忍ガ、試合ヲ棄権《キケン》イタシマシタ」

「イタチの力を恐れてのことか」

「無論」

　ダンゾウは天井を仰《あお》ぎ見《み》て大笑する。

　白虎は黙したまま主《あるじ》の言葉を待つ。

「ヤツがうちはでなければどれほどよかったかと、ワシは幾度《いくど》も思うた。が、これほどそれを痛感したことはない」

「うちはニハうちはノ使イ道ガゴザイマス」

「お前ごときに言われずとも解っている」

　答えて歩きだす。

「二回戦の相手は誰だ？」

「一回戦ガ順当ニ運ベバ、マァ上ガッテクルノハ雲隠《クモガク》レノ里ノ下忍、ネムイ……」

「ふざけた名前だな」

「コノ男、〝春眠《シュンミン》ノネムイ〟トイウ名デ、雲隠レノ若手ノナカデ売リダシ中ノ忍デゴザイマス」

　ふんっと鼻で笑い飛ばす。

「二つ名などが付いた忍は、しょせん二流だ。本当の忍は二つ名などいらん」

「ハッ」

隣に並んで歩きながら男がうなずく。

「二つ名などないうちはイタチが、春眠などという下らぬ名を持つ下忍をどう料理するのか。いまから楽しみだな」

数年ぶりに弾《はず》むような声を吐いている自分に内心驚きながら、ダンゾウは試合会場への道を悠然《ゆうぜん》と歩いた。

*

「繰《く》り返《かえ》すが、ルールは一切《いっさい》無用だ。どちらかが負けを認めるまで勝負は続ける。ただしオレが続行不能と判断した時は、そこで試合を止める。解ったな二人とも」

高圧的な担当試験官が告げるのを、目の前の眠たそうな顔が黙って聞いている。いまにもこの場で寝てしまうのではないかと思うほど、さっきから何度も欠伸《あくび》をしていた。

男の名前はネムイ。

雲隠れの里の忍であるらしい。

「順番を後に回してもらって、十分に睡眠を取ったほうがいいんじゃないか?」

ネムイにむかってイタチは穏《おだ》やかに問うた。真ん丸な瞳《ひとみ》の上から瞼《まぶた》の帳《とばり》を半分下ろし、気の抜けた口許《くちもと》をしたネムイがイタチの顔を見つめる。

「心配ご無用」

言ってニコリと笑ったその笑顔さえ、眠そうに見える。

円形の会場は内側へと湾曲《わんきょく》した壁が外周を取り囲み、天井の部分が丸く抜けていた。地面は土で覆われ、ところどころに木々が植えられている。壁の上部から突きでるようにして横広の櫓《やぐら》が並び、大勢の観客が下忍たちの将来をかけた戦いを観戦していた。

各国の大名と支配階層にある人々、忍の世界からは隠れ里の上層部に中忍、上忍の面々。果ては身分を偽《いつわ》って潜入した裏稼業《うらかぎょう》の面々までが顔を揃えている。

将来の忍の世界を背負《しょ》って立つのは、果たしてどの隠れ里なのか？

誰もが若い忍たちの戦いを、固唾《かたず》を呑んで見守っている。

各里の有能な下忍たちが命がけで戦うこの場は、いわば戦争の縮図なのだ。この場で行われた戦いが、数年後の各里の力関係に通じるということが往々にして有り得《あう》る。

だからこそ。

イタチはここで絶対的な力を見せつけなければならなかった。

木ノ葉隠《こはがく》れの里にうちはイタチあり……。

この場に集《つど》う大人《おとな》たちが、木ノ葉にだけは手を出すまいと思うほどの圧倒的な力を見せる。それが争いのない世へと繋《つな》がる一歩となるはずだった。

手を抜くつもりはまったくない。

全力で行く。

「二回戦、第三試合。木ノ葉隠れ下忍うちはイタチ対、雲隠れ下忍ネムイ。始め！」

担当官が叫ぶ。

「ふぁぁあ……」

開始の合図と同時に、ネムイが大きな欠伸をした。

会場から囁《ささや》くような笑いが起きる。

イタチは構《かま》える。わずかに半身になり、両足を均等に開く。どちらの手にも武器は握らない。全身の力を抜き、意識を一点に集中せず漂わせる。相手がどんな動きをしても、即座に対応するための構えだ。

「眠たいから……」

だらりと両腕を垂らし、構えらしい構えを取っていないネムイの棒立ちの身体が、左右にユラユラと揺れはじめた。

「寝ちゃっていいかなぁ」

イタチの答えを聞くより早く、ネムイが目を閉じた。硬い棒が地面に倒れるような状態で硬直した身体が、前のめりになりながら地面に激突する。

直前、ネムイが視界から消えた。

「っ！」

イタチは息を呑む。

動くような気配はまったくなかった。

挙動もあまりにも唐突。

左右いずれにも体重移動をしたようには見えなかった。

動きを予測するのがわずかに後《おく》れてしまう。

その一瞬の隙《すき》が、イタチを後手《ごて》に回らせた。

背後から鼾《いびき》が聞こえてくる。

雷鳴……。

とっさに前転の要領で前に飛んだイタチの顔の前を、眠ったまま振りまわすネムイの右腕が掠《かす》めていった。凄《すさ》まじい勢いで駆け抜けてゆく腕には、白色の電気が無数の雷となってまとわりついている。あれが雷鳴の正体かなどと呑気《のんき》に思いながら、イタチはネムイと間合いを取りながら着地した。

依然《いぜん》としてネムイは眠ったままだ。

立ったままである。

演技なのか。それとも本当に眠っているのか。

判断するには直接攻撃を加えてみるしかない。

懐《ふところ》のクナイを取りだして投げる。

眠るネムイの顔に一直線に飛んでいく。

左右に揺れる身体が大きく振れて、ぎりぎりのところでクナイを避《よ》けた。

起きているのか？

とにかく目を閉じているから写輪眼は使えない。

いまの攻撃がなかったようにふたたび棒立ちのまま眠るネムイ。その身体が一度激しく揺れたかと思うと、またも視界から消えた。

目で追うよりも早くイタチは上空に舞った。

いままで自分が立っていた場所を、雷を帯《お》びたネムイの腕が切り裂いている。

間合いを取るように壁際《かべぎわ》に着地し、敵を視界に収める。

頭のなかを目まぐるしく思考が巡っていく。目の前で起こっている事象を、なんとか分析しようと試みる。

チャクラを大量に消費する写輪眼を使う訳にはいかなかった。圧倒的な勝利のための方程式には、写輪眼はかかせない。その時までは取っておく必要がある。

これまで生きてきた十年間の経験から、目の前の事象を分析する自信はあった。

写輪眼の力に頼るまでもない。

考えろ……。

遠くで身体を揺らすネムイを見つめて思索《しさく》する。

敵は眠りという無我の境地によって、身体能力を極限まで引きだすタイプの術を使っていると仮定する。眠ることで自我を抑《おさ》え、純粋な本能と獣《けもの》の直感だけに特化した動きをするためだ。

眠っているという状態に驚き、冷静さを失うから見失ってしまうが、要《よう》は身体能力による勝負なのである。身体能力を研《と》ぎ澄《す》ますことさえできれば、相手と同じ土俵に立つことはそう難しくはない。

全神経を目の前の敵に集中させる。

揺れていたネムイがピクリと震えた。

来る。

視力、聴力、嗅覚《きゆうかく》、全身の触覚。

すべてでネムイを感じる。

イタチの右方の壁をなぞるようにして接近してくる気配を捉《とら》えた。

稲光。

避けた。

大丈夫……。

やはり身体能力はイタチのほうが勝《まさ》っている。

それが判《わか》れば対処は可能。

無我の境地から放たれるネムイの攻撃を、流麗《りゅうれい》な身のこなしで躱《かわ》してゆく。

今度は心理の洞察だ。

敵はなぜ、睡眠に頼る術を得意とするのか？

眠っている間、敵はなにを思うのかと夢想する。

自我を封じて身体能力を高めるのなら、記憶自体もなくなっている可能性が高い。それが事実ならば、ネムイは戦っている最中の自分のことを覚えていないということになる。

目が覚めれば相手が倒れている……。

どうしてそんな術を必要とするのか？

臆病だからだ。

傷つくこと、傷つけることを極端に恐れている。だから眠りに逃避するのだ。

ネムイが臆病ならば、延々と覚めない眠りが恐ろしくなる。

状況を見極めるために、必ず目を覚ます。

その時が勝負だ。

ネムイが攻撃を仕掛け、イタチが華麗《かれい》に避けるという戦いが十分ほど続く。あまりに動かない展開に場内がざわめきはじめた頃、それは起こった。

不意にネムイが立ち止まるとわずかに震え、閉じていた瞼が少しだけ開いた。

二人の視線が交《まじ》わる。

この時を待っていた。

瞳にチャクラを注《そそ》ぎこむ。

写輪眼。

発動していたのは数百分の一秒あまり。

その一瞬に、イタチは賭《か》けた。

攻撃を躱しつづけながら脳内に克明《こくめい》に描いていたイメージをネムイの瞳孔《どうこう》めがけて打ちこんだ。

「ひっ！」

ネムイが悲鳴をあげた。

一瞬だけ覚醒《かくせい》したネムイがふたたび眠る。

成功した……。

背後から忍び寄ってネムイの首筋をクナイで斬《き》り裂《さ》く。

細部まで克明に描いたイメージは実像となってネムイの脳内で再生された。

ネムイは喉《のど》を掻《か》っ切《き》られて一度死んだ。しかしまだ己《おのれ》が生きていることを自覚して、また目を閉じた。

だがもう元のように心底からは眠れない。

数分間ネムイの攻撃を躱していると、ふたたび瞼が動いた。

イタチの視界が刹那の間、紅《くれない》に染まる。

今度のイメージは腹を抉るというもの。

繰り返す。

殺されるたびにネムイの眠りは浅くなってゆく。

刺殺、絞殺《こうさつ》、撲殺《ぼくさつ》、毒殺。

ありとあらゆる手段で、ネムイを殺してゆく。

ついにネムイは眠ることができなくなった。

眠ればまたイタチに殺される。

幾度となく繰り返される死の恐怖に完全に支配されていた。

「ひぃ……。ひぃ……。ひぃ……」

過呼吸気味に肩を大きく上下させながら、ネムイがガクガクと震えている。

場内の観衆たちは、なにが起こっているのかさえ解っていない。イタチが写輪眼を使ったことを見抜いた者は、この会場に数人いればいいほうだろう。

イタチが攻撃を躱しつづけていると、じょじょにネムイの動きが鈍《にぶ》くなり、顔から脂汗《あぶらあせ》を流しはじめ、泣きはじめた。

イタチは一度も物理的な攻撃を仕掛けていない。

「た、助けてくれ……」

ネムイが哀願《あいがん》するように呟いた。

そのまま膝《ひざ》から地面に突っ伏すと、大声で泣きはじめる。

「もう……。もう死にたくないっ。頼む、助けてくれ……。お願いだ」

「勝負あり！」

監督官が二人の間に割って入った。

会場は静まり返っている。

あまりにも理解不能な状況に、誰もが混乱しているようだった。

試験官に抱《かか》えられながら姿を消すまで、ネムイは半狂乱で泣き叫んでいた。間断《かんだん》なく発せられる死にたくないという言葉が、会場をすみずみまで凍《こお》りつかせる。

ネムイは忍であることを諦《あきら》めるだろう。

それだけの恐怖を与えた。

忍はこの世の争いの元凶《げんきょう》なのだ。

忍が一人いなくなれば、それだけ争いの種は減る。

ネムイの心を完膚《かんぷ》なきまでに叩き折ったことは間違いではない。

この場の空気もまた然《しか》りである。

会場全体に漂う死の気配は、イタチが一人で生みだしたものだ。理解不能な力を前にして、各国の忍はイタチという男の底知れぬ力を思い知ったであろう。

この男を敵に回してはならない……。

そう思う者が多ければ多いほど、木ノ葉が戦《いくさ》に巻きこまれる可能性は減る。

写輪眼による幻術は視線を交錯させた相手のみに有効な手段だ。が、それを有効に使えば、こうして不特定多数の人間を暗示という名の幻術《げんじゅつ》に嵌《は》めることができる。

すべてはこの世から争いをなくすため……。

中忍試験に参加することを認めてくれた木ノ葉の上層部に、イタチは心底感謝した。

ネムイと担当官が去った会場に、イタチは背をむけ歩きだす。

沈黙のなか、誰かの拍手が聞こえてきた。

顔をあげて音のするほうを見た。

右半分を包帯で覆った顔……。

「志《し》村《むら》ダンゾウ……」

呼び捨てに呟いたイタチを見下ろすダンゾウの唇《くちびる》には、どす黒く歪《いびつ》な笑《え》みが張りついていた。

二

「このたび、息子《むすこ》が中忍《ちゅうにん》に昇格した」

居並ぶ同胞《どうほう》たちの前で、フガクは淡々と言った。隣には木《こ》ノ葉《は》のジャケットを着こんだ息子が、涼《すず》やかな姿で立っている。

「おめでとうございます」

言ったのはヤシロだ。普段から細い目をいっそう細めて微笑《ほほえ》んでいる。信頼の置ける腹心の言葉をきっかけに、同胞たちがいっせいに祝いの言葉を口にした。

「お前からもひと言挨拶《ことあいさつ》をしろ」

「はい」

一切《いっさい》の情動を感じさせない声で、息子が答えた。

「これからも木ノ葉、そして一族のためにこの身を投げうって忍道《にんどう》に精進《しょうじん》していく覚悟です。どうぞよろしくお願いいたします」

十歳とは思えぬしっかりとした挨拶をして、イタチが同胞にむかって深々と頭を下げた。

一次試験では波風《なみかぜ》ミナトに次《つ》ぐ歴代二位の得点を叩《たた》きだし、二次試験は一人での参加でありながらこれまでの最短時間を大幅に短縮してのクリア。

三次試験、一回戦は相手の棄権《きけん》での不戦勝。二回戦の戦いぶりから三回戦は参加の必要なしという上層部の判断によってすべての試験を終了。

晴れてイタチは中忍へと昇格した。

我が子ながら恐るべき才に恵《めぐ》まれた忍《しのび》である。フガクは時折、息子ということを忘れてイタチの恵まれた素質に嫉妬《しっと》の念を覚えることすらあった。

「イタチほどの才能のある忍が警務部隊に入ってくれれば、里でのうちはの立場も改善するやもしれませんな」

長髪のイナビが嬉々《きき》として言った。フガクは艶《つや》のある黒髪を見下ろしながら、みずからの想《おも》いを口の端《は》に乗せる。

「イタチは警務部隊には入れないつもりだ」

一同がどよめく。

イタチは驚くような素振《そぶ》りも見せず、無言のまま虚空《こくう》を見つめていた。

息子は気づいていたのか？

疑いの念が湧《わ》くが、皆の前で問《と》い詰《つ》める訳《わけ》にもいかない。心を切り替えながら、フガクは同胞たちへと言葉を投げた。

「オレは息子を暗部《あんぶ》に入れたいと思っている」

「暗部……。ですか？」

反感の色がにじむ声をヤシロが吐いた。

フガクは黙したまま、うなずいて答えに替える。

「我ら警務部隊と暗部は、木ノ葉の治安《ちあん》を巡《めぐ》って幾度《いくど》となく衝突している間柄《あいだがら》ですぞ」

「そんなことはオレが一番よく知っている」

責《せ》めるようなヤシロの言葉を断《た》ちきる。

木ノ葉隠れの里の治安維持《ちあんいじ》のため、うちは一族を主体として木ノ葉警務部隊は設立された。フガクが隊長を務《つと》める現在も、警務部隊は木ノ葉隠れの里のために日夜働きつづけている。

いわば警務部隊は木ノ葉隠れの里の警察機構であった。

しかし里にはもうひとつの治安維持部隊がある。

それが暗部だ。

有能な忍によって構成される火影《ほかげ》直属の部隊である暗部は、里の内外の重要な任務には必ずといってよいほど顔を出す。

里で起こる重大な犯罪は、警務部隊の手から離れ暗部に委《ゆだ》ねられることになる。

どこまでが警務部隊の範疇《はんちゅう》で、どこからが暗部の捜査対象なのかという明確な線引きはない。その時々の火影の判断によって、逐次《ちくじ》捜査形態が変動するというのが現状だった。

そのため警務部隊と暗部で、しばしば衝突が起こる。そのたびにフガクは警務部隊の先頭に立って、火影や暗部と折衝《せっしょう》を行っていた。警務部隊と暗部の軋轢《あつれき》を一番よく知っているのはフガクなのである。

南賀《なか》ノ神社の本殿《ほんでん》が、騒然とした空気に包まれた。

暗部を批判する者、フガクの真意を推《お》し量《はか》ろうとする者、木ノ葉のうちは一族に対する仕打ちを口にする者。

それぞれが抱《いだ》く鬱憤《うっぷん》が、一気に噴出した。

「聞いてくれ！」

同胞たちを一喝《いっかつ》する。

静まり返った本殿内に、行方《ゆくえ》の定《さだ》まらない殺気が満ちた。

言葉を選ぶようにフガクはゆるやかに語りはじめる。

「皆の想いは解《わか》っている。オレも同じ気持ちだ。だからこそイタチを暗部に入れる。息子には里と一族のパイプ役となってもらうつもりだ」

皆が息を呑《の》んだ。

「我らの集落を暗部の根《ね》の者が密《ひそ》かに見張っていることは、皆も知っての通りだ。ならばこちらも里に監視の眼を持つ」

「それがイタチだと？」

ヤシロの問いにうなずく。

同胞がどよめく。

「同じ里の仲間なのに……」

囁《ささや》くような声が聞こえた。

一瞬の静寂《せいじゃく》を狙《ねら》い発せられたその声は、場内の誰の耳にも届いたようである。

声の主《ぬし》は隣に立っていた。

皆の視線をかわすようにうつむいたイタチは、寂《さび》しそうな表情で黙っている。

「いま、なんと言った？」

ヤシロが問う。

目を伏《ふ》せたままイタチは誰に語りかけるといった風《ふう》でもなく、端然《たんぜん》と声を吐く。

「千手《せんじゅ》一族も木ノ葉の人々も、里の同胞であることには変わりない……。妙なへだたりを作って、相剋《そうこく》を煽《あお》るような行動はやめたほうがいい」

場を覆《おお》う殺気が濃くなった。

イタチは気づいているようだ。が、それでも構《かま》わずに言葉を吐きつづける。

「あちらがこうしたから、こちらもこうする。相手が殺したから、復讐する。そうして争いは生まれる」

「お前は木ノ葉の肩を持つのか？」

「どちらの味方かという次元で物事を捉《とら》えるから、大局が見えなくなる」

「貴様っ！」

激昂《げっこう》したヤシロが、イタチの襟首《えりくび》をつかまんと立ちあがる。腹心の腕を、フガクは止めた。

「隊長っ」

怒《いか》りをにじませヤシロが叫ぶ。

「落ち着け」

「しかし！」

「いいから落ち着け」

　これ見よがしに大きな溜息《ためいき》を吐《つ》いてヤシロが座る。イタチはまったく動ずることなく、ただ黙ったままうつむいていた。

「謝《あやま》れイタチ」

　無言のイタチに、皆が怒りの眼差《まなざ》しをむける。

「お前の言いたいことも解る。が、理想と現実は違う。お前が言うのはあくまで理想だ。たしかに争いや戦争は憎しみが連鎖《れんさ》して起こる。しかし、虐《しいた》げられた者の真の苦境というものを、幼いお前は知らん。里創設以来うちは一族がどれだけ苦しい立場に追いこまれてきたのかを思えば、そんな軽はずみな言葉は吐けぬはずだ」

「オレもうちは一族の人間です。一族の苦境は解っているつもりだ」

「だったら謝れ！」

　ヤシロが叫ぶ。

　寂しげな表情を浮かべるイタチの眼が、ゆっくりとヤシロにむけられた。

「すみませんでした」

消えるような声をイタチが吐く。

息子の心があげた悲鳴をフガクははっきりと聞いた。争いを避けたいというイタチの気持ちは痛いほど解る。しかし同胞たちが抱《かか》える不満も、それと同じくらいに解っている。いや、フガク自身、木ノ葉の忍として生きてきたこれまでの人生において、幾度となく辛《つら》い経験をしてきた。

うちはであるというだけで里の中枢《ちゅうすう》から排除される。

若い頃に抱《いだ》いていた夢も、うちは一族だからという理由だけで無残に打《う》ち砕《くだ》かれた。

火影……。

もう二度と叶《かな》わないであろう儚《はかな》い幻だ。

「詳《くわ》しいことは家で話す」

息子にしか聞こえない声で、フガクは語りかける。

答えは返ってこなかった。

*

「イタチ先輩！」

耳を刺《さ》すような甲高《かんだか》い声に呼び止められて、イタチは振り返った。

夕刻の木ノ葉隠れの里の往来は、人で溢《あふ》れている。中忍昇格の手続きのために、火影屋敷に出むいた帰りだった。

目の前に立っているのは見覚えのある少女である。歳《とし》はイタチより上。

半月前まで仲間だった娘だ。

「ヒムカです。涼風《すずかぜ》ヒムカ」

戸惑《とまど》うイタチの心を見通したかのように、少女が名乗る。涼風という姓を、イタチはこの時初めて知った。

「中忍昇格おめでとうございます」

「ありがとう」

ヒムカは歳上である。だが忍としてはイタチが先輩だ。複雑な立場が、どのような言葉を使ったらいいか迷わせる。敬語を使ったほうがいいのか、それとも普通に話せばいいのか。迷った末の〝ありがとう〟という言葉だった。

そんなイタチの迷いなど気づきもせず、ヒムカは目を輝かせながらこちらを見ている。

「中忍試験でも凄《すご》い成績を残された先輩を尊敬します！　少しの間だけでも一緒の班で働けたのは、私の誇りです」

誰かに褒《ほ》められたり、誇られたりするために戦っている訳《わけ》ではない。

どう返せばいいのか解らなかった。

「あの無口な仲間とはいまも一緒にやってるのか?」

「ヨウジさんですね」

そんな名前だった。

「イタチ先輩が中忍試験を受けることになったのと同じくらいの時期に、ヨウジさんもどこかに転属になって、それ以来会ってないんです」

「転属?」

「急な話だったんで、挨拶もしてないんですよ」

なんとなく違和感があった。

挨拶すらできないほどに急な転属とはどういうものなのか?

考えられるとしたらひとつ。

暗部だ。

だがヨウジは下忍になってまだ日は浅い。それに一緒に任務を遂行《すいこう》したなかで、目を見張るような働きをしたという覚えもなかった。

「いまはユウキ先生と新しい仲間二人と頑張っています!」

清々《すがすが》しい口調で語るヒムカを眺めながら、イタチはヨウジという男の名前を心の片隅に刻《きざ》んでいた。

三

「たまにワシのところへ来ると、最近のお前が決まって最後に話すのはうちはイタチのことだな」

そう言って火影《ほかげ》の椅子《いす》に座りながら煙草《たばこ》をくゆらすヒルゼンの姿を、ダンゾウは直立不動のまま眺めていた。

身体《からだ》に臭《にお》いをまとわせる煙草など忍《しのび》が吸うものではないと、一度忠告したことがある。

その時ヒルゼンは、火影は潜入任務はやらんから大丈夫だと笑って答えた。

ダンゾウは現実の話をしている訳《わけ》ではなかった。

心構《こころがま》えの問題を説《と》いたのだ。

火影であろうと下忍《げにん》であろうと、忍は何時《いつ》如何《いか》なる時でも戦時を忘れてはならない。もし敵に気取《けど》られてはならない状況になった時、ヒルゼンがその身にまとわりつかせている煙草の臭いは、相手にとって格好の標《しるし》になる。

この世に絶対などというものはないのだ。

そんなダンゾウの思いなど知りもせず、ヒルゼンは燃《も》え尽《つ》きた灰を机上《きじょう》の盆に捨て、かたわらに置いた入れ物から新《あら》たな煙草を摘《つま》みだし、雁首《がんくび》に詰《つ》めて火を点《とも》した。紫色《むらさきいろ》の煙が開け放たれた窓から流れこんだ風に溶け、ダンゾウの鼻を刺《さ》す。その不快な臭いに辟易《へきえき》しながらも、表情には一切《いっさい》出さない。

ヒルゼンとは下忍時代からの〝知り合い〟だ。

友という言葉をダンゾウは使ったことがない。友人とは人間同士の馴《な》れ合《あ》いの感情の産物である。相手にもたれかかろうという浅ましい想《おも》いが、人に友という言葉を使わせる。ダンゾウは人にもたれかかりたいとも、もたれかかられたいとも思ったことがない。だから友などという甘い言葉は口にしたことはなかった。

煙草の煙を吐きだしながら、ヒルゼンがダンゾウに視線をむける。

「お前が言う通り、中忍に昇格して五か月。イタチは完璧《かんぺき》すぎるくらいに任務を全《まっと》うしておる。下忍たちを使う任務でも、それぞれの得意分野を把握《はあく》し、十一歳とは思えぬほど的確な指示を出す。あがってくる報告書も、書式に忠実で丁寧《ていねい》にまとまっておる」

「やはり下忍での二年は、イタチにとっても里にとっても損失であったということだな」

「それもまた必要な経験であったと思えばいい」

ヒルゼンという男はつねに前むきに物事を考える。そういうところが、陽《ひ》の当たる場所にいる忍たちの信望を得ているのだろう。しかし忍は本来、闇《やみ》に潜《ひそ》む者だ。里に暗部《あんぶ》という組織を作り、陰陽の別を設《もう》けていること自体が滑稽《こっけい》なことだとダンゾウは常々《つねづね》思っている。

「そういえば……」

煙管《きせる》の灰を盆に落とし、ヒルゼンが一息吐《つ》いた。そして椅子の上で小さく伸びをする。

「最近、年のせいか長い時間の机仕事は疲れる」

「それがお前の役目だ」

「少しは労《いたわ》りの言葉はないのか」

「言いかけた話を聞かせろ」

取りつく島もないダンゾウの物言いに、わずかに鼻を鳴らしながらヒルゼンが口を開く。

「うちはフガクから面白《おもしろ》い申し出があった」

フガク……。

ダンゾウの脳裏《のうり》に警務部隊隊長の仏頂面《ぶっちょうづら》が現れる。

「イタチの暗部編入の打診だ」

ヒルゼンの言《げん》を聞いた瞬間、小躍《こおど》りしたくなるほど心が跳《は》ねた。それを面《おもて》に出すほどダンゾウは愚《おろ》かではない。ただひと言《こと》〝そうか〟とだけ答えて、ヒルゼンの言葉を待った。

「イタチの能力は警務部隊では存分に発揮できないだろうとフガクは言っておる。我が子だからという訳ではなく、客観的に見てもイタチは忍として類稀《たぐいまれ》な才能を持っている。その才を存分に発揮できる場所に導《みちび》いてやるのが親の務《つと》めだと申し、暗部への編入を打診してきおった」

瞳《ひとみ》の奥に闇を宿らせ、ダンゾウの顔色をうかがうような視線を、ヒルゼンが送ってくる。話は最後まで終わっていない。意見を述べるのは、ヒルゼンがすべてを語った後だ。

「ホムラとコハルは大反対じゃ。火影直轄《ちょっかつ》の特別部隊である暗部に、うちはを入れるなど言語道断《ごんごどうだん》だと申しておる。警務部隊を二代目様が設立された趣旨《しゅし》を忘れたのかとな」

「うちは一族を里の中枢《ちゅうすう》から追いやるための警務部隊」

「うむ……」

溜息《ためいき》を吐いたヒルゼンが、三度《みたび》煙管に煙草を詰めようとする。

「重要な話の間くらいはやめたらどうだ」

父に叱《しか》られた子供のようにヒルゼンは不服そうに小さく肩をすくめてみせてから、煙管を机に置いた。

「最後には自分たちがよいと言っても、生粋《きっすい》のうちは嫌いであるお前がどう言うかと、お前の名前まで出して抵抗する始末だ」

木ノ葉の御意見番《ごいけんばん》であるホムラとコハル。

彼らも幼い頃からの〝知り合い〟である。

激しい大戦のなかで多くの仲間が死んでゆく最も苛烈《かれつ》であった時代に、大した才能もないまま目立つこともなく、運だけで長生きしただけの年寄りだ。御意見番などという名誉職を有難《ありがた》く頂戴《ちょうだい》しているくらいが分相応《ぶんそうおう》という程度の存在である。

威勢がよくて声の大きい者の力を借りなければ、自分たちの意見を押し通すこともできない。

「やはりお前も……」

「入れてやればよいではないか」

ダンゾウは当然、反対するものだと思っていたのであろう。わずかに目を見開いて、ヒルゼンの瞳に猜疑《さいぎ》の色が浮かぶ。

反対する気など毛頭《もうとう》ない。

フガクの申し出はむしろ渡りに船であった。

元からダンゾウはイタチを暗部に入れる気でいた。

どんな手を使ってもである。

ダンゾウの大望《たいもう》のために、うちはイタチという存在はなくてはならない存在なのだ。己《おのれ》が暗部へ推薦《すいせん》して、フガクが怪《あや》しみ態度を硬化させることを危ぶんでいたくらいである。

あちらから打診してきたという事実は、僥倖《ぎょうこう》以外のなにものでもなかった。

「イタチびいきのお前でも、暗部入りという話には難色を示すと思うていたが」

探るような目つきをヒルゼンは隠そうともしない。平然とそれを受け止め、ダンゾウは答えを口にする。

「イタチは百年に一度出るかどうかという忍。里にとって有益な駒《こま》は、たとえうちは一族であったとしても遊ばせてはならん」

「お前らしい答えだ」

三代目火影はみずからを納得させるように深くうなずいた。

「お前が了承するというのなら、ワシもイタチの暗部入りには文句はない。里とうちはの相剋《そうこく》を解消するには、若い者の心をまずは溶かしてやらねばならん。イタチを里の中枢に引き入れることが、その契機《けいき》となればよい」

ヒルゼンの楽観的な考えに同調するつもりはない。が、理由はどうあれ火影がイタチの暗部入りを承認するという事実は、ダンゾウにとって有難かった。

「しかしイタチはまだ十一歳。暗部入りを納得させるだけの信用が必要じゃ」

「暗部入りのための任務だな」

「そうじゃ」

「それはワシに任《まか》せてもらえんか？」

＊

休息……。

弛緩《しかん》した時に漂う自分を、イタチは冷静に見つめていた。

隣には笑いながら歩くイズミの姿がある。

中忍になってから五か月。

休みという休みを取らないイタチを心配し、里が一週間という長期の休暇を命令してきた。無理矢理にでも休めというのである。

それを聞いた父はよい頃合いであったとうなずき、休暇の間はシスイとの修練も休めと言ってきた。

これまで任務と修練以外に時間を費《つい》やすための行為を知らなかったイタチは、凪《な》いだ大海に唐突《とうとつ》に投げだされたような気持ちをどうすることもできなかった。日がな一日寝ていようと思っても、任務のために仕上げた身体は暁烏《あけがらす》が啼《な》く前には目覚めてしまう。仕方がないから六歳になったサスケと遊んだり、忍者学校《アカデミー》に入る前の修練に付き合ったりして時間を潰《つぶ》すしかなかった。

サスケは本当に大きくなった……。

つい昨日《きのう》までハイハイしながら片言《かたこと》で喋《しゃべ》っていたのが、いまではすっかり一人前の口を利《き》く。兄さん兄さんとしつこく後ろをついてきながら、あれこれと自分の話をする。

日頃、家にいない兄に構《かま》ってもらえて嬉《うれ》しくて仕方がないのだ。

三日ほどそうしてサスケの面倒を見ていたら、今度は外に出て同年代の者と話をしてこいと、父が言いだした。

〝お前は疲れている。たまの休息を存分に満喫《まんきつ》しろ。そうすればあんなことは言わなくなる〟

あんなこと……。

南賀《なか》ノ神社での一件のことである。

里を憎むような発言ばかりを繰《く》り返《かえ》す同胞たちに辟易し、つい本音《ほんね》を口にしてしまったことをイタチはいまも後悔していた。熱に浮かされる者になにを言っても通じはしないのだ。言うだけ無駄《むだ》である。

しかしあの時言った言葉は本心である。一片の嘘偽《うそいつわ》りもない。憎めば憎むほど、相手もこちらを憎む。そして争いが生まれる。一族の苦衷《くちゅう》は解るが、憎しみを抱《いだ》いていったいなんになるというのか。

そんなイタチの想《おも》いを、父は〝疲れ〟という一語で打《う》ち砕《くだ》いた……。

「ねぇ聞いてる？」

思索《しさく》の念を破って甲高《かんだか》い声が脳内に響《ひび》いた。

イタチは刹那《せつな》の瞬《まばた》きの後、声のしたほうを見た。

イズミが跳ねるような足取りで隣を歩いている。その目はイタチを捉《とら》えて放さない。

「前を見て歩かないと危ないぞ」

「うん」

答える声も跳ねている。

「あそこで少し休憩しない？」

言ってイズミが前方に見える茶屋を指さした。

一族の集落を出て、里の中心部にいる。二人で歩いているところを見咎《みとが》められたらどうなるなどという危惧《きぐ》は、イタチにはない。

友人と散歩をしている。

他意はなかった。

「すみません二人です」

そう言ってイズミが、緋毛氈《ひもうせん》が敷かれた店の表の長椅子に腰をかけた。

イタチも隣に座る。

「はぁい」

店のなかから聞き覚えのある声が聞こえてきた。

「あぁ！　イタチ君やなかね！」

方言まるだしの声は、昔の仲間のものだ。

「シンコ」

「久しぶりやねぇ」

下忍になって初めて配属された第二班で一緒だったシンコである。テンマが死んだ任務で忍の現実を知り、下忍資格を返上したことは知っていた。

「ここで働きよるとよ」

「そのようだな」

自分たちより歳上のシンコと親しげにイタチが話しているのを、イズミがオドオドした様子《ようす》で眺めている。

「なん？　彼女？」

長椅子に茶をふたつ置いたシンコが、目を輝かせながら聞いてくる。

「友達だ」

「あ！　いまこの娘、ガッカリしたばい」

冷やかすようなシンコの言葉に、イズミが驚くように身体を大きく上下させた。そんなイズミの姿を見て笑ったシンコが、イタチへ目をむける。

「中忍《ちゅうにん》になったんやってね。おめでとう」

「ありがとう」

さっきのシンコの言葉以来、イズミは顔を伏《ふ》せておとなしくなった。

「やっぱ私は忍ば辞《や》めて正解やった」

シンコが茶を持ってきた盆を胸に抱く。

「テンマが死んだのもあったばってん。私が忍を辞めた原因の半分はアンタにもあるとよ」

「オレに？」

「アンタみたいな天才ば間近で見たら、自分の才能の限界が嫌《いや》っちゅうほど見えたとよ。そうしたらなんか悲しくなって、このまま忍続けてもよかことなかと思うたとよ。そんで次の日、忍ば辞めた」

カラカラと小気味よい声でシンコが笑う。そんな彼女を呼ぶ声が、店の奥から聞こえた。

「じゃあ、ゆっくりしていかんね。注文が決まった頃にまた来るけん」

そう言ってシンコは店の奥に消えた。

「やっぱり凄《すご》いねイタチ君は……」

シンコがいなくなったのを見届けてから、イズミがうつむいたまま呟《つぶや》いた。

「誰かの忍道を断《た》つほどの才能なんて、私にはないから」

「でも、今年学校を卒業するんだろ？」

十一歳だから一年ほど早い卒業だ。才能がない訳ではないのだ。

「そんなのは才能のうちに入らないよ」

寂《さび》しそうに語るイズミを見つめながら、イタチは微《かす》かな喜びを感じていた。

シンコが忍を辞めた理由の半分が自分にある……。

それはイタチの力が一人の忍をこの世から消したということ。

忍が一人減れば、争いはひとつ減る。

シンコの告白は、己の進む道筋《みちすじ》が間違っていないことを、ささやかなりとも証明していた。

「聞きたいことがある」

顔をあげたイズミのイタチを見つめる瞳に、涙がうっすらとにじんでいた。

「お前はどうして忍になるんだ？」

「えっ」

「忍になって実戦に出れば、辛《つら》い思いを何度もすることになる。そんな思いをお前のような女の子がすることはない」

「だってお父さんが忍だったから……」

「それだけの理由で忍になるのか？」

「それだけじゃないよ」

断言するようにイズミが答える。長い睫毛《まつげ》の下の黒い瞳に、一片の怒《いか》りが垣間見《かいまみ》えた。

それがなにを意味するのかイタチには解らない。

「好きな人と同じ道を歩きたい……。そう思うことはいけないことなのかな」

言うと同時にイズミが立ちあがった。

「またね」

振り返って笑った眼から涙の滴《しずく》が零《こぼ》れ落《お》ちる。そのままイタチに背をむけたイズミは、もう二度と振り返らなかった。

「なに？　彼女ば泣かせたとね？」

いつの間《ま》にか背後に立っていたシンコが、冷やかすように言った。

「それだけ気配を殺せるのなら、もう一度忍になってもいいんじゃないですか?」

「絶対に嫌!」

四

「すでにフガクから聞いているな」

湿った視線を投げながら語るダンゾウの言葉を、イタチは無表情で聞いた。

火影《ほかげ》直属の暗部《あんぶ》とは別の組織を率《ひき》いる彼の居室《きょしつ》である。

根《ね》……。

ダンゾウが率いる組織の名前だ。所属は一応、暗部ということになっている。だがヒルゼン直属の暗部とは指令系統から違っていた。

この根という組織は、里のなかでも特に優秀な者たちを幼少の頃から掻《か》き集《あつ》め、里の闇《やみ》に潜《ひそ》み治安維持《ちあんいじ》と陰《かげ》の仕事だけを忠実に遂行《すいこう》するエリート集団である。

イタチ自身、この部屋に来るようにとダンゾウに命じられてから知ったことだった。里の大半の人間は、根という組織があることすら知らない。ダンゾウはヒルゼンの若い頃からの片腕であり、表の暗部を管理する行政官《ぎょうせいかん》のような存在だと、里の者は認識している。

屋敷の最奥に、ダンゾウの部屋はあった。里の最北に位置する歴代火影の顔が彫《ほ》られた火影岩がある崖《がけ》。その袂《たもと》にあるこの屋敷は、表面上は任務関連の書類や資料の保管庫とされている。普段は誰も近寄らない場所だった。

暗部たちが任務に出る際に潜《くぐ》る里の裏門も、この近くにある。

昼でも陽《ひ》が当たらぬ陰気な場所だ。そんなところに建てられた屋敷の最奥の部屋である。

昼過ぎだというのに、部屋の四隅《よすみ》には巨大な蠟燭《ろうそく》が灯《とも》されていた。

揺れる焔《ほのお》に浮かぶダンゾウの顔は、闇夜を見つめる仏像のように艶《なま》めかしい妖気を放《はな》っている。臆病な者ならば、この場にいるだけで涙を流してうずくまってしまうことだろう。

「暗部に入ることは、お前も了承済《ず》みだと考えてよいのだな」

「はい」

簡潔《かんけつ》な返答を聞いたダンゾウの口角《こうかく》が、わずかにあがった。線のように細い目が、じっとイタチを見つめている。呼吸のひとつひとつ、髪の毛一本のかすかな揺れまで見逃《みのが》すまいとするようなダンゾウの視線は、怖気立《おぞけだ》つほどに鋭い。まるで敵との戦いの場にいるかのような錯覚をイタチは感じていた。

「うちは一族の暗部入りに関しては、上層部から抵抗が出ている」

ここでもイタチに暗い闇がまとわりつく。

一族の会合での父たちの怨恨《えんこん》。

そして里の忍《しのび》たちのうちはへの偏見と差別。

木ノ葉にいる限り、自分の身には闇がつきまとう。

だからこそ……。

暗部なのだ。

父の命《めい》だからではない。

イタチ自身の意志だった。

暗部は里のなかでも選ばれた忍だけが所属することを許されるエリート部隊だ。ここで頭角《とうかく》を現せば、里の中枢《ちゅうすう》に確固とした立場を築くことも夢ではない。

この里の現実を変えるためには、偉くなるしかないのだ。

火影になれば、すべてを変えることができる。

うちは一族初の火影……。

この世の争いを消しさるために歩んできたイタチの道のりは、少しずつ明確な標《しるべ》を見いだしはじめていた。

まずは暗部に入る。そして頭角を現し、里の中枢に地位を確立する。その後は火影だ。

火影となって里のうちはへの偏見を拭《ぬぐ》いさる。

イタチの夢はそこで終わりではない。

火影になれば、他里の有力者たちとも頻繁《ひんぱん》に会合を持つことができる。他里の忍たちと協力すれば、忍たちの相剋《そうこく》は解消されるはずだ。

この世から忍がなくなる。

忍がなくなれば大名《だいみょう》たちは戦《いくさ》をする術《すべ》を失う。

その先にあるのは戦も争いもない世のなかだ。

イタチの夢にとって暗部や火影は通過点に過ぎなかった。

まずはその一歩。

暗部に入る。

里の上層部や暗部の者たちの反感などに構《かま》っている暇はなかった。抵抗はすべて取り払うつもりだ。

「お前が暗部に相応《ふさわ》しい男かどうかを示す〝手柄《てがら》〟が必要なのだ」

「任務ということですか」

「その通りだ」

人形のようにダンゾウは微動だにしない。

イタチもまた指一本動かさない。

少しでも身体《からだ》を揺らそうものなら、そこから心根《こころね》を見透《みす》かされるような気がした。

静かな暗闘《あんとう》を二人は繰《く》り広《ひろ》げている。

「お前に与える任務をワシが担当することになった」

ダンゾウが預《あず》かったということは、陽の光が届かない闇の任務であるということ……。

覚悟はとうに決まっている。

イタチは強い意志を秘めた瞳《ひとみ》で、ダンゾウを見つめつづけた。

「ある男が暗部にいる」

本題に入った。

「年は三十四。お前からすればすでに老《お》いた忍に入るだろう」

皮肉なのか、それとも冗談のつもりなのか、ダンゾウは抑揚《よくよう》のない声で言った。

イタチは反応する気はない。

しばしの沈黙が流れた後、ふたたびダンゾウが語りはじめた。

「お前ほどではないが、この男も幼少の頃からその才を見こまれ、下忍《げにん》中忍《ちゅうにん》と順調に階段をあがり、上忍《じょうにん》昇格と同時に暗部に入った。が……」

言葉が切れると同時に、四隅の灯火がいっせいに揺れた。

「霧隠れの里と内通しておるという事実が、最近になって判《わか》った」

裏切り者……。

任務の大枠《おおわく》が見えてきた。

「男の内通を知っている者は、里のなかでもごく一部の者だけだ」

「その男を始末するのがオレの……」

「最後まで聞け」

冷たい声がイタチを制す。

「暗部に所属している者は、できるだけ里の者に自分の所属を知られぬように努《つと》めることになっている。この男も表面上は上忍として平凡な暮らしを送っている。妻がおり、三歳と一歳の子供がいる」

ダンゾウは自分になにを植えつけたいのか？

イタチは心のなかで問うた。

これから殺そうとする者に家族がいることを教えて、なにを試そうというのだろうか。情に流されて任務遂行《すいこう》をためらうのではないかという勘繰《かんぐ》りが、いまの言葉の背景にあるというのなら、それは大きな間違いだ。

「霧隠れの里との繋《つな》がりがなければ、その男は有能で火影の信頼も厚い立派な忍だ」

ダンゾウの口から〝立派な忍〟という言葉が吐かれると、あまりに芝居染《じ》みていて真実味がない。そんなことは承知のうえで、ダンゾウは皮肉交《ま》じりに言ったのだということもイタチは解っている。普通の十一歳の子供が経験する何倍も濃い経験を、イタチはしてきているのだ。この程度の感情の機微は心得ている。

「しかし裏切り者を許していては、里は治《おさ》まらない」

「解っています」

あまりにも遠回しな言い方をするダンゾウに、わずかな苛立《いらだ》ちを込めて言った。そして言葉を吐いた後に、みずからの短慮《たんりょ》に後悔した。イタチが怒《いか》りを覚えたのも、後悔をしたのも、恐らくダンゾウは見抜いている。見抜いたうえで、態度にはまったく出さない。

木ノ葉の闇を歩いてきた男の底知れない暗さを、イタチは嫌《いや》というほど感じている。

「察しがいいお前にずいぶん回りくどい話をした。許せ」

「いいえ」

「が、それもこれも、この男のことを知ってもらいたかったという一念からだ」

どうして知らなくてはならないのかという疑問の言葉は呑《の》みこんだ。

「この男を殺せ」

「解りました」

即答した。

家族がいようと、優秀な忍であろうと、裏切り者は裏切り者だ。

任務である。

否《いや》も応《おう》もない。

「いまさらながら、お前がいるべき場所は暗部なのだと確信した」

ダンゾウが立ちあがった。

「この任務に同行を許す仲間は一人だ。選ぶのはお前に任《まか》せる。お前が一番心を許せる者を連れていけ」

目の前に置かれた机を回りこむようにして、ゆっくりとした足取りでイタチに近づいてくる。

「平和というものは、じつに厄介《やっかい》なものだ」

イタチの面前に立ってダンゾウが語る。その見下ろす目が、大人《おとな》びた少年の顔を捉《とら》えて放さない。

「作りだすことも難しいが、保《たも》つのはそれ以上に至難の技《わざ》だ」

ダンゾウは少しだけ自分に酔っている。

そんな気がした。

「人は食物を喰《く》らう。誰かがその日の夕食を終える時、どこかで喰えずに苦しむ者がいる。

誰かがなにかを得る時、どこかで誰かがなにかを失っている。そういう些細《ささい》な不均衡《ふきんこう》が、安息《あんそく》の日々を少しずつ、いびつに変えてゆく」

南賀《なか》ノ神社に集《つど》ううちは一族の顔が、脳裏《のうり》に浮かんだ。

心に微細な揺れが生じたのを悟《さと》られまいと、イタチは閉じた唇《くちびる》のなかで奥歯を嚙《か》み締《し》めた。

「平和という虚構の陰《かげ》には必ず苦しむ者の存在がある。闇を背負《せお》う者たちがいる。それを忘れて平和を貪《むさぼ》り喰《く》らうだけの存在は、じつに唾棄《だき》すべき者だとは思わぬか？」

吐き気がするような臭《にお》いが鼻腔《びこう》を侵《おか》す。それがダンゾウの吐く息だと解ると、イタチはじっと耐えた。

「平穏《へいおん》の端《はし》に生じた綻《ほころ》びを、一切《いっさい》の情を見せずに断《た》つ者がいなければ、この世は一時《いっとき》たりとも安らぎを得られぬのだ」

この里でそれを務《つと》めているのが、暗部であり根であるとダンゾウは言っている。

「以前、ワシはお前に凶相《きょうそう》の持ち主だと言ったことがある」

覚えている。

忍者学校《アカデミー》の卒業式の日だ。

「お前の人生にはつねに乱がつきまとう。だからこそみずからの因縁《いんねん》を断ちきるだけの強さをお前は身につけなければならない」

「その強さを得る場所が、暗部であると？」

右半分を包帯に覆《おお》われた顔が力強くうなずいた。

「一を知って十を知るという言葉があるが、お前は一を知って百、いや千を知るのだな。が、その聡《さと》さがお前を苦しめる」

「オレは苦しんでなど……」

「ワシの前で自分を隠そうとするのはやめろ」

言ったダンゾウの手が肩に触れる。ぞっとするほど冷たい手だった。

「真の平和、争いのない世を求めるという望みが、お前自身を苦しめている」

「どうしてそれを……」

「お前のことはなんでも知っている」

ダンゾウが目を見開いた。引きこまれそうになるほどに深くて暗い闇が広がっている。

「真の平和をもたらす者は、この世で一番深い闇をその身に宿す者だ。お前なら、そんな存在になれるとワシは思っている」

邪《よこしま》な唇が笑《え》みを象《かたど》る。

「ワシの元へ来い、うちはイタチ」

不思議な魅力を放《はな》つ闇から逃《のが》れるように、イタチの本能が考えるよりも先に顔を背《そむ》けることを選んでいた。

＊

「暗殺か……」

イタチの話を聞き終えたシスイが、自分自身で確認するように呟《つぶや》いた。

二人しか知らない崖の上に立っている。むかい合っているというのに、シスイは目を合わせようとはしない。斜《なな》め下方に目をむけたまま、じっと考えこんでいる。

「心が許せる者を一人連れていけと言われた時、お前のことを考えていた」

「小《こ》日向《ひなた》ムカイといえば、なかなかの忍だ」

瞬身《しゅんしん》のシスイとして木ノ葉でも有数の忍に成長した男は、そう言ってまた考えこんだ。

「暗部とはなんの関《かか》わりもないお前に頼む筋合《すじあ》いではないのだが、オレには暗部の知り合いもいなければ、こんな任務を頼めるようなヤツもいない」

「人付き合いが苦手《にがて》だからな、お前は」

言ってシスイが微笑《ほほえ》む。

小日向ムカイというのが、ダンゾウから暗殺を命じられた男の名前だった。日向《ひゅうが》一族の遠縁にあたる家柄《いえがら》だが、何代も前に分家しているから白眼《びゃくがん》の血継限界《けっけいげんかい》は有していない。

「あの男が、まさか裏で霧隠れと繋がっていたなんて……」

「どんなヤツなんだ？」

「暗部でありながら、上忍としての通常任務もこなす切れ者だ。火影の信頼も厚く、大名警護の時には必ず暗部として従っている」

ということは仮面の男に襲撃された時もいたということだ。あの時、はたけカカシという名の暗部以外は、仮面の男の幻術《げんじゅつ》にかかったのをイタチは知っている。

あのなかにムカイはいたのだ。

「その男が幻術に弱いような話は知らないか？」

「里の仲間の弱点について語り合うようなことはないからな」

当たり前である。馬鹿な質問をしたとイタチは後悔した。

「ただ得意としている術については知っている」

シスイが顔をあげてイタチを見た。親友の眼に宿る光に、不穏《ふおん》な影がちらついている。

それが決意の証《あかし》だということは、長年心を通じ合ってきたイタチにはすぐに知れた。

「ムカイは体術を得意としている」

なんとなく解る気がした。

ムカイの血を辿《たど》ると日向一族に辿り着く。

日向一族といえば、木ノ葉隠れの里のなかでも有数の名家である。

もとを辿れば忍の祖である六道仙人まで辿り着き、その血継限界である白眼は、うちはの写輪眼《しやりんがん》と並ぶ瞳術《どうじゆつ》であった。経絡《けいらく》というチャクラの道を視認することができ、敵となった者の経絡を断つことでチャクラを封じる。視界は全方位に及び死角はないと言われていた。

経絡を封じる時、日向一族が用いるのが体術である。

柔拳《じゆうけん》と呼ばれるこの体術は、万物に存在するチャクラとみずからのチャクラの流れを同調させ、円を基本とする体捌《たいさば》きで連撃を繰《く》りだし、相手の内臓など肉体の内部を破壊するという技だ。日向一族秘伝の柔拳であるが、分家である小日向家にならばその一端くらい伝わっていても不思議ではない。

「柔拳使いか」

イタチの問いにシスイはうなずきで答えた。

「接近されなければこちらに分《ぶ》はある」

「ムカイはかなりの腕の持ち主だ。離れて戦うことを許してくれるとは思えないぞ」

すでにシスイの頭のなかでは、ムカイとの仮想戦が行われているようだった。

「オレと来てくれるか？」

「当たり前だ」

友の拳《こぶし》がイタチの胸を打つ。

「オレ以外に頼めるヤツはいないんだろ？」

「あぁ……」

「暗部に入れば里の中枢に近くなる。そうなれば一族にとって、お前は掛《か》け替《が》えのない存在になる」

それがなにを意味しての言葉なのか、イタチは考えた。

シスイとイタチは同じ志《こころざし》を持っている。

一族の平和のためなら命を捨てても構《かま》わないという志だ。

毎月南賀ノ神社で密《ひそ》かに行われている会合は、会を重《かさ》ねるたびにどんどん雰囲気が悪くなっている。里に対する鬱憤《うっぷん》が、すでに限界近くまできていると、イタチとシスイは考えていた。

暴発だけはどうしても避けなければならない。

それが共通の認識だった。

一族が起《た》つということは、里を争いに巻きこむということだ。

先の大戦そして九尾襲来《きゅうび》。

ふたつの危難を乗り越え、里はやっと平穏《へいおん》を築きはじめたところである。

ここでうちは一族が事を起こせば、里はふたたび悲しみと死に包まれてしまう。

うちは一族でただ一人の暗部……。

シスイが言う通り、イタチはきっと一族にとって掛け替えのない存在になるだろう。

「お前が暗部になるということは、オレにとっても夢なんだ」

「夢?」

「うちはと里が本当の意味で同胞《どうほう》になる。そのためには里の中枢と深い繋がりを持つ一族の忍が必要だと考えていた。一族の苦悩と希望を、ありのままに伝えられる存在だ。お前が暗部に入れば、その役目を果たすことができる。一族の平和を誰よりも望むお前ならば、きっとうまくやってくれるはずだ」

イタチの顎《あご》が小さく上下する。それを見たシスイの顔が、ぱっと明るくなった。

「オレは里所属の上忍、お前は暗部の一員、ともに警務部隊所属ではない。客観的な場所から一族のことを眺めることができる」

「父とその同胞たちは自分たちの殻《から》に閉じこもって、外の世界が見えなくなっている」

「イタチ……」

胸中の苦悩を吐きだすように、シスイが友の名を呼んだ。

「一族の者たちは狭い世界に閉じこもって、外の世界を見ようとはしない。自分たちの運命が開けないのは、里のせいだと言って怨恨《えんこん》ばかりを膨《ふく》らませている。里が悪い、火影様が悪い、千手《せんじゅ》一族が悪いと言うばかりで、足元を見ようとはしない。が……」

閉じていた瞼《まぶた》を開き、イタチを見つめる。

「お前は違う」

シスイの言葉に息を呑む。

「お前はいつも、運命を自分の力で切り開いてきた。忍者学校《アカデミー》を一年で卒業し、ただ一人で中忍試験を潜《くぐ》り抜《ぬ》け、そしていま暗部に入ろうとしている。お前は自分の運命を一族のせいにして諦《あきら》めることはなかった」

果たしてそうだろうか？

イタチにはよく解らない。

自分が行くべき道を、ただひたすらに駆け抜けただけだという気がする。そしてこれからもその気持ちは変わらない。

「お前なら火影にだってなれる……」

シスイが微笑む。

「うちは初の火影として、里と一族の因縁を根底から断ちきってくれる存在になると、オレは信じている」

イタチの胸は高鳴っていた。

火影になるという夢……。

誰にも語ったことのない夢だ。それは唯一無二《ゆいいつむに》の親友であるシスイにすら話したことのない夢だった。口にしてしまえば消えてしまいそうで怖かったから誰にも言わなかった。

その夢がシスイの口から言葉となって己《おのれ》の耳に届いた。

驚きと喜びが、イタチの胸に一気に押し寄せる。

「オレはいつまでもお前の親友だ」

「シスイ……」

「お前がこれからどこまで大きくなっていくのか、オレは楽しみで仕方ないんだ」

胸の奥から熱いものがこみあげてくるのを、イタチは必死に押《お》し留《とど》めている。人前で泣いた経験など、これまでの人生で一度としてなかった。忍は決して自分の感情を曝《さら》けだしてはならないと思っている。

いや……。

ただ一度だけ、人前で泣いたことがある。

四歳の時だ。

父に連れられて戦いが終わった戦場に行った時のことである。激しい雨が降るなか、打ち捨てられた骸《むくろ》の山を見た時、涙が止まらなかった。父に悟《さと》られまいと必死に震えを抑《おさ》えていたのを、いまでも覚えている。

あの頃からイタチは変わらない。

争いはなにがあっても避けるべきだ。

戦争など二度と起こしてはならない。

雨に打たれながら泣いた四歳の時、イタチは心に決めたのだ。

そのための暗部。

そのための火影なのだ。

「やるぞイタチ」

頼もしい友の声にイタチは感謝の念を込め、力いっぱいうなずいた。

五

しんとした森のなか、心が躍《おど》るように脈打っていた。

大きくなった弟のみずみずしい気配を肌に感じながら、イタチは大樹《たいじゅ》の陰《かげ》に潜《ひそ》み一人微笑《ほほえ》んでいる。

かくれんぼ……。

イタチにとっては遊びだが、サスケにとっては真剣勝負である。

「どこに行ったんだ兄さんは」

誰に聞かせるでもなく呟《つぶや》くサスケの姿を、イタチは微笑ましい気持ちで見つめている。大人《おとな》げないとは思いながらも、忍《しのび》の技術を最大限に使ってチャクラと気配を完全に殺していた。六歳になったばかりの子供には、どうやっても見つけることができないはずだ。

任務が終わると靴を脱ぐ暇もなく、南賀《なか》ノ神社を囲む鎮守《ちんじゅ》の森に連れだされた。

弟は数日後には忍者学校《アカデミー》に入ることが決まっている。入学前に少しでも忍としての力をつけておきたいと、サスケは気負《きお》いこんでいた。

そんな頼もしい弟が、可愛《かわい》くて仕方がない。

自分でも驚くほど、サスケを想《おも》っている自分がいた。

イタチは幼少の頃から他の子供とは異《こと》なっている。サスケが生まれた四、五歳の時期といえば、父や母に甘えたい年頃だ。しかしその時からイタチは、みずからの進むべき道を自覚していた。争いのない世を作るために有能な忍になる。そのために必要なものはなんなのかを考え、実践《じっせん》してきた。だから弟が生まれた時も、父母を取られるなどという感覚は一切《いっさい》なかったのである。

　自分と血を分けた存在ができたことがただただ嬉《うれ》しかった。そしてその想いは、サスケが成長するにつれ、どんどん大きくなってゆく。

　自分のことを手放しで慕《した》い頼っている弟を見ていると、サスケの期待にそぐわぬような生き方をしてはならないと思う。サスケに恥じない自分でいようと思う。その想いがイタチ自身を前に進ませる力になる。一人では決して持つことのできなかったモチベーションを、サスケが与えてくれていた。

　弟には感謝の念しかない。

「兄さん！」

　苛立《いらだ》ちを含んだ声でサスケが叫んだ。あまりに見つからないものだから怒りはじめている。

「仕方ないな……」

　サスケには届かない声を、語りかけるような口振りで呟くと、イタチは少しだけチャクラを解放してみせた。

「っ！」

四方を見まわしていたサスケが硬直し、一度だけ身体《からだ》を大きく震わせた。

兄の気配を感じたのだ。

イタチの口許《くちもと》にある微笑が、より鮮明なものになる。

並の子供ならば決して悟《さと》ることのできない、微細なチャクラの揺れだった。

しかしサスケはそれをはっきりと知覚したのである。

忍としての才能は申し分ない。

「ここだぞサスケ」

また語りかけるように呟く。

足音が真《ま》っ直《す》ぐにむかってくる。近づいてくるたびに、跳《は》ねるような足取りになってゆく。弟の小さな足が枯葉を踏みながら進む。なのに足音は一切《いっさい》しなかった。

足音を消す技術もすでに身につけている。

これならいますぐ忍者学校《アカデミー》に入っても、上級生に敗《ま》けないだろう。

「見つけた！」

しゃがんでいるイタチを指さしながらサスケが言った。兄を見下ろす弟の瞳《ひとみ》は、夢と希望で爛々《らんらん》と輝いている。

「残念だったな……」

言うと同時に、イタチは煙になって消えた。

影分身《かげぶんしん》だ。

本当のイタチはサスケの頭上にいる。

「あぁ！　卑怯《ひきょう》だぞ兄さん！」

無垢《むく》な叫びをあげる弟が、不意に顔をあげた。

「あっ……」

太い枝に座りながら見下ろす兄の姿を、サスケが見つけた。

「くすっ……」

首が折れるのではないかというほど上空を見つめるサスケの素《す》っ頓狂《とんきょう》な顔を見て、思わず吹きだしてしまった。めったに人前で感情を表に出さないイタチだが、弟には自然と自分の心を伝えることができる。それが不思議だった。

「兄さん……」

さっきの威勢のよい声はどこへやら、呆然《ぼうぜん》とした呟きをサスケが吐いた。

「見つかったか」

微笑みをそのままにイタチは軽い身のこなしで枝から飛び降り、あんぐりと口を開ける弟の前に立った。

自分の意志で兄を見つけるはずが、ぐうぜん目的を果たしてしまった不本意な結果になり、悔《くや》しさを通り越して呆然自失の境地にサスケをいたらしめている。

「か、影分身なんて卑怯じゃないか」

なんとか我を取り戻したサスケが、口を尖《とが》らせながら責《せ》める。満面に笑《え》みを浮かべながら、イタチは弟を見下ろしていた。

ずいぶん大きくなったものだとしみじみ思う。

つい最近まではイタチの膝上《ひざうえ》くらいまでしかなかった背丈《せたけ》が、いまは腰から頭ひとつ飛びでている。

「よくチャクラに気づいたな」

「もうすぐ忍者学校《アカデミー》に入学するんだ。それくらいできて当たり前さ」

自分が気取《けど》ったチャクラが、並の六歳ならば感じることができない微細なものだったことにサスケは気づいていない。

「そうか当たり前か」

「うん」

あえて褒《ほ》めなかった。

できて当たり前と思うことは、悪いことではないからだ。

自分が特別な存在だと思うと、人は怠慢《たいまん》になる。できることが当たり前だと思っているということは、自分の不足を知っているということ。足《た》らないものがあるから、すでにできることには関心を示さない。だから特別にも思わない。そう考える者は、つねに前をむいて歩きつづける人間だということ。

褒めることで、サスケの妥協《だきょう》しない歩《あゆ》みを止めたくなかった。

不意にシスイの言葉を思いだした。

〝お前は自分の運命を一族のせいにして諦《あきら》めることはなかった〟

サスケにも自分の運命を諦めてもらいたくはない。一族の柵《しがらみ》や暗い感情に囚《とら》われて、運命を切り開くことを拒《こば》むような男になってもらいたくはなかった。

きっとサスケなら大丈夫だ。自分にはない天真爛漫《てんしんらんまん》さが、サスケにはある。ダンゾウが言った凶相《きょうそう》も弟にはない。

きっとサスケは自分を超えてくれると、イタチは信じている。

弟にならば超えられても構《かま》わない……。

顔には出さないが、イタチは人一倍負けず嫌いだ。でなければ十一歳で暗部《あんぶ》編入の話が出るような忍にはなれない。

そんなイタチが弟にならば負けてもよいと思っている。

自分でもこの感情の本質を理解できずにいた。どうしてそんな風《ふう》に思うのか解《わか》らないのだ。しかし、本心からそう望んでいることだけは間違いない。

「そろそろ帰るぞ」

「えぇ、もう一回だけ隠れてよ」

イタチが手招きすると、サスケが足を前に踏みだした。

「許せサスケ」

指先で額《ひたい》をつつく。

「イテッ」

手招きから額をつつかれるまでのやり取りは、これまで何度となくやってきた流れだ。だが毎回サスケは、素直《すなお》に近づいてきて額に指を喰《く》らう。そんな素直な弟の姿が、心を穏《おだ》やかにさせる。

額をつつかれた時の反応に、サスケの成長が垣間見《かいまみ》られる。

最初にやったのは三歳になった頃だった。まだ片言《かたこと》しか喋《しゃべ》れなかったサスケにしつこく〝高い高い〟をせがまれて、なんとなく額をついて諦めさせた。その時サスケは、額を押さえ、わんわんと泣いた。イタチとしてはそれほど力をこめたつもりではなかったのだが、三歳の弟は凄《すさ》まじく痛がった。

それがいまでは少し顔をしかめるくらいで耐える。当たり前といえば当たり前なのだが、そうやって外界の刺激に慣れてゆくサスケの成長をもイタチは頼もしく感じた。

「帰るぞサスケ」

夕陽《ゆうひ》に二人の影が並ぶ。

サスケの落とす影は、大きな背中を追いかけるようにずっとイタチから離れなかった。

*

枝に足がかかるとすぐに跳《と》ぶ。そうして見定《みさだ》めたつぎの木へと移る。それを繰《く》り返《かえ》す。

逃避行である。

イタチの周囲には三人の忍。皆、初めて組んだ仲間だった。

そのなかの一人を、イタチは知っている。

小日向ムカイ。

ダンゾウから暗殺の命を受けた対象だった。

ムカイが指揮する上忍《じょうにん》と中忍《ちゅうにん》で構成された班の一人が、休暇中に怪我《けが》をして突然任務に穴を空《あ》けることになった。そこで急遽《きゅうきょ》、イタチが助《すけ》っ人《と》として組みこまれたのである。

イタチは、中忍の休暇中の怪我と自分の選抜という流れの背後に、ダンゾウの影を見た。

自分の手の者を使い中忍に怪我を負《お》わせ、作為的《さくい》にイタチを組みこんだとしか考えられない。でなければ暗殺の対象者がいる班に突然欠員ができ、自分が編成されるなど有り得《あえ》ないことだった。任務をともに遂行《すいこう》し、少しでもムカイの腕を見ておけというダンゾウの無言のメッセージであることは間違いない。

「オレのせいです。すみません」

イタチのすぐそばを行く中忍が、目の前を跳ぶムカイの背中にむかって告げた。

「気にするな」

それだけを答えるとムカイは淡々と木々を飛び移ってゆく。

もう少し行けば平原に出るはずだった。

そこまで来れば国境は目の前だ。追手《おって》の数もぐんと減るだろう。いまは無駄口《むだぐち》を叩《たた》くよりも、辿《たど》り着《つ》くことが先決。

ムカイの対応は正しい。

簡単な潜入任務のはずだった。

大戦が終わり、各里は友好的な関係を維持《いじ》している。しかし時にそれは過度な交流を生み、不穏《ふおん》な空気を生むことにもなった。

砂隠《すながく》れの里と霧隠れの里が、密《ひそ》かに軍事目的の盟約《めいやく》を結ぼうとしているという情報を、木ノ葉はつかんだ。

砂と霧がもし他里と戦闘になった場合、理由の如何《いかん》にかかわらず必ず味方となる。平時においては仮想敵を同一に定《さだ》め、対象となる里の陥落《かんらく》のために共同で事にあたる。

戦争を前提とした密約であった。

現在の平和は、五大国に存在する各忍里が互いを牽制《けんせい》し合うことでなんとか維持されている。もしその二国が密かに手を結び、敵を同一に定めて動きはじめれば、たちまち平和は崩《くず》れさり争いの日々が蘇《よみがえ》る。そんな事態を避けるため、この密約は絶対に阻止《そし》しなければならない。

霧隠れの代表者が砂隠れの里を訪れるという情報を得た木ノ葉隠れの里は、ムカイたちに会合の偵察を命じた。密約の内容をつぶさに調べあげ、それを報告する。たったそれだけの任務。敵に気取られさえしなければ、決して難しい任務ではない。

はずだった……。

四代目風影《かぜかげ》の屋敷に潜入したイタチたちは、会合を陰から見守った。

砂と霧の立場の擦《す》り合《あ》わせ程度の内容で、会合は終わり、イタチたちは砂隠れの里から脱出を試みた。が、そこで不測の事態が起こったのである。

仲間の中忍が侵入者用の罠《わな》にかかったのだ。

それからは脇目《わきめ》もふらず、四人は駆けた。

そしていま、なんとか追手から逃《のが》れようとしている。

「もうすぐ国境だ」

ムカイの声に誰も答えない。

「密約に木ノ葉が気づいているということが解れば、両国も迂闊《うかつ》には事を進められない。オレたちが気取られたのは、それはそれでよかったんだ」

罠にかかってからずっと気にしている中忍にむかってムカイが語りかける。

イタチの前方の視界が開けた。

平野に出たのだ。

四人揃《そろ》って着地する。

このまま一気に国境まで駆け抜ければ、なんとかなるはず……。

「っ!」

イタチは足を止め、振り返った。

ムカイが立ち止まっている。いま抜けてきた森のほうを見つめたまま、懐《ふところ》に手を入れ紙《かみ》巻煙草《まきたばこ》を一本取りだすと、先端に火を点《つ》けた。

「なにをやっているんです」

イタチはムカイの背中に言った。他の二人も突然の隊長の行動に、戸惑《とまど》っている。

声を聞き流すように、ズボンの後ろポケットから銀色の瓶《びん》を取りだし、口へ持っていく。

風に運ばれた甘い匂《にお》いが、ムカイが口にしているものが酒だということを教えてくれている。

「隊長！」

「まぁ、そこで見ててくれよ」

イタチのほうに振り返りもせず、ムカイはそう言って煙草を燻《くゆ》らせている。吹きすさぶ風が、紫《むらさき》の煙を運んでゆく。国土の大半を砂漠に覆《おお》われた砂隠れの里も、国境あたりまで来ると緑が多い。しっかりと大地を踏みしめるムカイの足を、若草が撫《な》でていた。

「どうせばれちまってる。ならば無傷で帰すこともねぇだろ。それに……」

ムカイが肩越しにイタチを見た。

「せっかく噂《うわさ》のうちはイタチがいるんだ。オレの腕も見てもらいてぇじゃねぇか」

その言葉に、さっきまで戸惑っていた二人が微笑を浮かべた。

「来たぜ」

ムカイが言うのと同時に、森のなかから多数の人影が躍りでた。

二十は超えている。

追手はすぐにイタチたちを見つけ、周囲を取り囲んだ。

「お前たちは手出しすんなよ」

ムカイが煙草を消して携帯用の灰皿に入れ、酒を呷《あお》った。

「諦めて観念したか」

追手の一人が言う。額当《ひたいあ》てに刻《きざ》まれているのは砂隠れのマークだ。

「さぁね……」

またも酒を呷る。その不遜《ふそん》すぎる態度に、追手が警戒を見せる。

閃光《せんこう》が煌《きら》めく。

顔の前に左手を翳《かざ》したムカイの眼前で、尖《とが》った音が鳴った。

「あぁあ、せっかくの酒が台無しじゃねぇか」

ムカイが放《ほう》った酒瓶にクナイが突《つ》き刺《さ》さっている。

「こんな時に呑気《のんき》に酒など呑んでいるとは大した度胸だな」

「酒と煙草に目がなくてね。戦う前はこうやってテンションあげることにしてんだよ」

「おとなしく捕《つか》まる気はないようだな」

「当たり前だろ」

ムカイにむかって追手がいっせいに襲いかかる。

見守るイタチたちにも忍たちがむかってきた。やむなしと構えたイタチの両肩を、仲間の中忍二人が抱《かか》えて飛んだ。

「なにをするんです！」

「隊長の邪魔《じやま》になるだけだ」

年長の中忍が言いながら、追手たちの頭を飛び越え包囲から逃《のが》れた。

追おうと跳躍《ちようやく》する追手にムカイが気づく。

「お前たちの相手はオレなんだよ！」

凄まじい速さで駆けたムカイの蹴《け》りが、イタチたちにむかって飛んだ追手の腹に炸裂《さくれつ》する。

追手は悲鳴すらあげず、地面に叩きつけられ気を失った。

ムカイが着地する。

「始めるか」

ムカイのチャクラが急激に膨《ふく》らんだ。

左目の瞳《ひとみ》が消え、瞼《まぶた》から同心円状に筋《すじ》が走る。

白眼《びやくがん》だ。

日向一族にのみ伝わるという血継限界《けつけいげんかい》である。

何代も前に日向一族から分かれた小日向家の者に、白眼が宿ることは考えられないとシスイは言っていたが、いま目の前でその信じられないことが起こっていた。

「普段は見せねぇんだが、今日は特別だぜ」

追手たちに言ったムカイの眼が、一瞬だけイタチを捉《とら》えた。

「こぉぉぉぉ……」

腹の底にチャクラを溜《た》めるように、ムカイが深く息を吸った。わずかに腰を落として半《はん》身《み》になり、左手は突きだし右手は懐のあたりに留《とど》める。拳《こぶし》は握らず、手刀《しゅとう》であった。

「まずはコイツを潰《つぶ》せ」

追手のリーダーらしき男が叫ぶ。

二十人がいっせいに襲いかかる。

クナイが乱れ飛ぶ。

逃れる隙間《すきま》のない刃《やいば》の雨。

ムカイが笑った。

みずからに降ってくる死の雨にむかって飛んだ。

「しゃっ!」

軽い回し蹴り。

目の前のクナイの側面を的確に捉える。弾《はじ》かれたクナイが別のクナイにぶつかり軌道を変える。その連鎖《れんさ》は広がり、多くのクナイが軌道を変えてゆく。

蹴りの回転をそのままに、振り返るようにして裏拳《うらけん》を放《はな》つ。

これも新《あら》たなクナイの側面を打つ。

ムカイの身体が下降を始める。

今度は前蹴り。

刃の先端を靴の爪先《つまさき》で弾く。

前方に回転する。

踵《かかと》が四本目のクナイを落とした。

着地。

クナイの雨が地面を貫《つらぬ》く。

ムカイは無事。

草のなかに漆黒《しっこく》のクナイが無数に突き刺さっている。しかし、ムカイの足元だけはまったく汚されてはいなかった。驚くべきことに、たった四本のクナイを弾くことでムカイは死の雨から身を守ったのである。

果たして自分に同じ芸当ができるかと、イタチは輪の外で考えていた。

できる……。

しかしそれはムカイの身のこなしを見たからこそできると思っただけで、果たしてみずからの直感だけでできたかどうか。

「やれっ、やれっ」

焦《あせ》りを露《あら》わにして敵が叫ぶ。

巨大な手裏剣《しゅりけん》、刀、鉤爪《かぎづめ》に棍棒《こんぼう》など……。思い思いの得物《えもの》を持って、追手がムカイに迫《せま》る。

そしてイタチは、清き流れを見た。

殺気に満ちた敵の攻撃を、舞うようにして躱《かわ》すムカイ。そして攻撃を繰《く》りだし無防備になった敵の急所を、的確に打って一撃で倒してゆく。

一切の無駄《むだ》がない。

惚《ほ》れ惚《ぼ》れするような体術の冴《さ》えだった。

一人に一撃。

二十発ほど打ったところで、残りはリーダーのみとなった。

「あとはアンタ一人だ」

両手に長大な刀を持った敵が小刻《こきざ》みに震えている。

「どうする？　まだやるか？　このままアンタだけ無傷で帰る訳《わけ》にはいかねぇよなぁ」

言ったムカイが懐から煙草を取りだし、火を点けた。

「きえぇぇぇぇぇっ！」

悲鳴なのか気合なのか判《わか》らない奇声をあげながら、リーダーが間合いを詰める。

一刀目は最上段からの兜割《かぶとわ》り。

わずかに身体を右に逸《そ》らして避《よ》けるムカイ。そこを狙い撃つ横薙《よこな》ぎの斬撃《ざんげき》。

ムカイの左眼が一瞬、白色の閃光を放ったようにイタチには見えた。

「ど、どうい……」

「訳が解んねぇよなぁ」

呆然《ぼうぜん》と呟くリーダーに、煙草をくわえたままムカイが告げる。その左手がわずかに掲《かか》げられ、その親指と人差し指の間に刀が綺麗《きれい》に納《おさ》まっていた。押しても引いてもびくともしないのか、リーダーの顔に青筋が浮かんでいる。

「アンタは一撃じゃ倒さねぇ」

呟いたムカイが刀を離した。いきなり拘束《こうそく》を解かれた男が、体勢を崩す。

煙草をくわえたまま右足を踏みこむムカイ。男の鳩尾《みぞおち》に額がつきそうになっている。

「八卦《はっけ》二掌《にしょう》……」

男の腹にムカイの掌《てのひら》が立て続けに二発入った。

「八卦四掌《よんしよう》」

今度は四発。

男が白目を剥《む》く。

「八卦八掌《はつしよう》」

八発。

口から血飛沫《ちしぶき》が舞う。

「八卦　十六掌《じゆうろくしよう》！」

顔から足までをムカイの掌《てのひら》が同時に十六回打った。

大風に吹かれた枯葉のように軽やかに宙を舞った男の目には、すでに意識の光はない。

あっという間の出来事だった。

煙草を灰皿に押しこむムカイの周囲には、二十人以上の砂隠れの忍たちが転がっている。

ゆったりとイタチのほうへと歩いてくるムカイの左眼が、ふたたび光を取り戻す。

「隔世《かくせい》遺伝ってやつだ。本家、分家と理屈で分けても、血だけは分けられない。因子《いんし》さえあれば、こうして表に出てきちまう。あんまり人には言わねぇでくれよな」

言ってイタチの頭に掌を当てた。

首を振って払い除ける。

子ども扱《あつか》いをされたことにイタチが腹を立てたと思ったのか、ムカイは少しだけ申《もう》し訳《わけ》なさそうに笑うと仲間たちの元へと近寄った。

「さっさと帰んねぇと、子供が待ってる」

「息子《むすこ》さんの具合はどうなんですか？」

問われたムカイが肩をすくめる。

「最近、調子が悪くてな。ちょっと心配なんだ。早く帰って火影様に報告済ませねぇと」

「そうですね」

ムカイたちの会話はイタチの耳に届いていない。子ども扱いされたなどというちっぽけな怒《いか》りは、まったくなかった。そんな些末《さまつ》なことを考えている余裕がなかっただけだ。

この男をシスイと自分の二人だけで殺す……。

困難な任務になりそうだった。

「さぁ、行くぞイタチ」

振り返ったムカイの口許に浮かぶ笑みは、みずからに忍《しの》び寄《よ》る死の気配をまったく感じていないようだった。

＊

いつもと変わらぬ陰気な空気が、本殿《ほんでん》を支配している。その重々しさに耐えられず、イタチは深い息をひとつ吐いた。

「今日は皆に聞いてもらいたいことがある」

御神体が祀《まつ》られた神殿を背にして立つ父が、重々しく言った。そのいつもより沈んだ口調に、イタチは不吉な影を見る。

「イタチの暗部入りが目前に迫った」

まるですでに編入が決まったような口振りである。

ムカイ暗殺……。

そう簡単に果たせる任務ではない。

きっと命をかけた死闘になる。

十に三つはこちらが死ぬという目が出るかもしれない。

「うちはの人間が暗部に入る……。これは我らにとってこれまで以上の好機の到来を意味する」

「では隊長」

父の腹心であるテッカが声を潜《ひそ》めて言った。

誰もが息を呑んでいる。

不穏な気配がどんどんと濃くなっていく。

イタチは自分の鼓動が激しく打つ音を、鼓膜の奥で聞く。

無意識にシスイを探していた。

居並ぶ同胞《どうほう》たちの三列ほど前に、親友の姿はあった。父を見つめて動かない背中から、張《は》り詰《つ》めた緊張がひしひしと伝わってくる。

やめろ父上……。

イタチは心で叫んだ。

声にならない。

まるで一族の怨念《おんねん》が凝《こ》り固《かた》まって口中に入りこみ、喉《のど》を押さえつけているようだった。

「我らはこれまで幾度《いくど》となく里のために尽《つ》くしてきた。しかし彼らはそんな我らになにをしてきた？」

誰も答えない。父から発せられる言葉のひとつひとつを聞き逃すまいと、粛然《しゆくぜん》と耳を傾けている。

「彼らの根底にあるのは、我らへの差別だ」

父の言葉が胸を容赦《ようしや》なく締《し》めつける。

イタチが最も嫌っているものが、目の前に姿を現そうとしていた。

憎しみ。

争い。

戦争。

どういう言葉を使おうが、本質はひとつ。

多くの人間の無意味な死だ。

「我らはずっと耐えてきた。が、それもすでに限界だ」

視界がゆっくりと左右に揺れていることで、イタチは自分が首を振っていることに気づいた。思考よりも先に、身体が父を否定している。

そんなイタチの姿など誰も見てはいない。

視線は上座《かみざ》に立つフガクに集中している。

よせ。

やめろ父上。

やめてくれ……。

心の声は父には届かない。

不意にフガクの瞳が紅《あか》く染まった。

写輪眼《しゃりんがん》だ。

心の昂《たか》ぶりが、父の瞳を変貌《へんぼう》させた。

「イタチの暗部入りを機に、我らは里へのクーデターを実行へと移す」

「おぉ……」

皆がいっせいに声をあげた。

戸惑いはどこにもない。

一同の声に漂っていたのは歓喜《かんき》の響《ひび》きだった。

「イタチ」

歓声を掻《か》き分《わ》けながら、父が息子の名を呼んだ。

己《おのれ》の名前が呼ばれていることを、イタチは他人事《ひとごと》のように聞いていた。

応《こた》えない息子を見つめながら、フガクが続ける。

「お前を暗部に入れる真の目的は、里の内情をつぶさに調べあげ、我らに報告してもらうためだ」

スパイ……。

イタチは小日向ムカイを思いだしていた。

同じ里のなかとはいえ、対立軸にある二つの勢力間で一方の内情をもう一方に漏《も》らすという行いはスパイ以外のなにものでもない。

オレはムカイと同類になるのか？

イタチは己に問うた。

答えが返ってくるはずもない。

「お前がもたらす情報が、一族の命運を握っている」

一族の視線がいっせいにイタチにむけられた。

無数の紅《くれない》の瞳……。

幻術にかかってはいないはずなのに、イタチは眩暈《めまい》を覚えた。

いったい自分は何処《どこ》にむかっているのか？


一羽の烏《からす》が天をめざして飛翔《ひしょう》する。

その足に絡《から》みつく禍々《まがまが》しい漆黒《しっこく》の腕《かいな》。

暗闇《くらやみ》は彼を地面に縛《しば》りつけようとする。

どんなに足掻《あが》いてみても、しがみついた腕は力強く彼を引き寄せつづける。

天が彼から遠退《とおの》いていく。

烏の瞳から血の涙が零《こぼ》れた……。

「決起の日は近い」

言いきったフガクの声に、皆が立ちあがる。

イタチはそのまま座りつづけた。

真夜中の森に迷いこんだように、立ちあがった同胞たちの足がまるで闇に染まった木々のように見えた。イタチの視界を覆う木々のなかに、もう一人座りつづけている男の姿を見つけた。

「シスイ……」

振り返った友の瞳がイタチを捉える。

これまで見たどの瞳よりも寂しい色をしていた。

友は悲しげに笑う。

「我らの闘争は、必ずうちはを栄光へと導《みちび》くだろう」

一同を歓喜させる父の声を、イタチは暗澹《あんたん》たる気持ちで聞いた。

この時のイタチは、まだ己に訪れる闇の真の姿を知らなかった。

暗闇は息を潜め、じっと彼を待っている。
黒き胸に彼を抱《いだ》く日が来るまで……。

〝暗夜篇に続く〟

イタチ真伝【光明篇】

NARUTO-ナルト-

2015年9月9日　第1刷発行
2024年9月11日　第7刷発行

著者　岸本斉史◎矢野 隆

編集　株式会社　集英社インターナショナル
〒101-8050　東京都千代田区一ツ橋2-5-10
TEL　03-5211-2632(代)

装丁　高橋健二＋川畠弘行（テラエンジン）
担当編集　六郷祐介
編集協力　添田洋平（つばめプロダクション）
編集人　千葉佳余
発行者　瓶子吉久
発行所　株式会社　集英社
〒101-8050　東京都千代田区一ツ橋2-5-10
TEL　03-3230-6297(編集部)
03-3230-6080(読者係)
03-3230-6393(販売部・書店専用)
印刷所　共同印刷株式会社

本書は書き下ろしです。

Printed in Japan　ISBN978-4-08-703375-5 C0093
検印廃止

絶望の物語。
NARUTO
ナルトシンデン
SHINDEN
第弐弾
イタチ真伝【暗夜篇】
暗部編入となったイタチ。
カカシと任務をこなす一方で、
うちは一族決起の日が迫る。
万華鏡写輪眼開眼と惨劇の夜、
その真実が明らかに。
原作 岸本斉史
小説 矢野 隆
好評発売中

贖罪の物語。
真伝
第参弾
好評発売中
原作 岸本斉史
小説 十和田シン
大筒木カグヤの謎を追って
旅に出たサスケ。
そこで出会ったのは、
かつての己の闇だった。
サスケを激しく憎む、
紅く燃えた瞳の真実とは？
サスケ真伝
【来光篇】

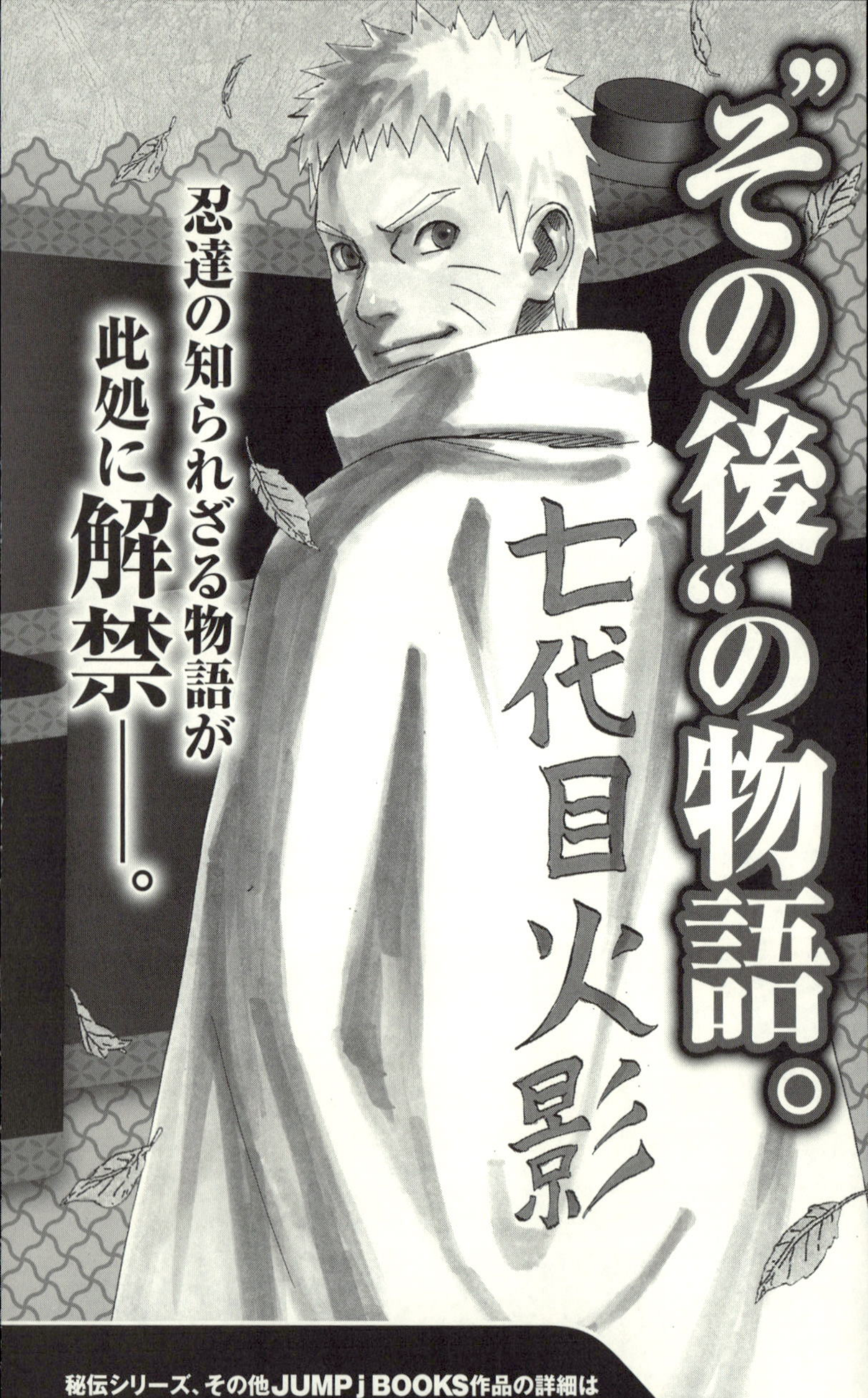

”その後“の物語。
七代目火影
忍達の知られざる物語が
此処に解禁——。